ひめゆりたちの春秋

―沖縄女師・一高女の「寄宿舎」―

仲程昌徳

ボーダーインク

ひめゆりたちの春秋／目　次

女師・一高女の校門（1943 年）

写真提供　ひめゆり平和祈念資料館
表紙・カバーデザイン　宜壽次美智

ひめゆりたちの春秋

――沖縄女師・一高女の「寄宿舎」――

はじめに

女師・一高女について書かれた印象深い文章の一つに、次のようなのがある。

港を中心に展開した新興那覇市と旧王城をめぐる古風な首里の街をつないだ、一本のコンクリート道路が常夏の丘陵をぬって白々と横たわっている。その中間にある安里—那覇の郊外、首里の山下とも言うべきところに、ひめゆり学園がいらかをならべて威容を誇っていた。

左側に沖縄師範学校女子部、右側に沖縄県立第一高等女学校の門札をかかげた校門の前には、柳に似た相思樹の並木が空を覆って繁り、南国の強い太陽をさえぎって気持ちのよい木影をつくっていた。

西平英夫『ひめゆりの塔　学徒隊長の手記』（雄山閣）の書き出しである。

沖縄師範学校女子部、沖縄県立第一高等女学校を一緒にして「ひめゆり学園」と呼んでいたことが西平の書き出し部分からわかるが、その愛称は、ここに始まったのではない。『姫百合のかをり』に「あゝ、この栄！　安里原頭、姫百合学園のこの聖なる栄を今こゝに享受しようとする私達は」とあるように、すでに一九三五年(昭和一〇)には使われていた。「ひめゆり学園」の通称は、他でもなく「ひめゆり」ということばがあったことによるものであるが、では、その「ひめゆり」は、どこから出てきたのだろうか。『ひめゆり沿革誌』は、その「由来」ついて、

高等女学校には明治四十（一九〇七）年に創刊された「おとひめ」という校友会誌があった。一方女子師範学校は大正十一（一九二二）年に「白百合」を学友会誌として発刊している。大正十五（一九二六）年六月、「おとひめ」第十九号、「白百合」第五号が出たところでこれらの会誌は廃止され、両誌の名を合わせて命名された「姫百合」第一号が昭和二年に改めて発刊された。〝校友会〟、〝学友会〟も〝姫百合会〟の名の下に統合された。〝ひめゆり〟という女師一高女の別名はここに由来している。

「ひめゆり」について、もう少し細かい説明をしておくと、当時の校長池上弘（第四代）

が、「両校がともすれば対立的観念に支配され易い点を除き」「両校の親和を図りたいとの意図」で学友会誌の「白百合」から「百合」、校友会誌の「おとひめ」から「ひめ」を取り、組み合わせて作ったものであった。校長が「『姫百合』――両誌の題号をくっつけ合せたという不自然さはなく、まことに快いひびきを与える名前ではありませぬか」と自賛しているように、「ひめゆり」は、以後、人口に膾炙していく。

○

「ひめゆり学園」は、一九三五年(昭和一〇)一二月一日から三日まで、創立「女師二五周年、一高女三五周年」を祝って、記念式典を挙行した。「八百の乙女達、三百の付属の子供たち」とともに来賓、父兄が居並んだ初日の式典は、「ひめゆり学園」を祝福する言葉で幕を開け、「場を圧する荘重な国歌合唱、勅語奉読」があって、学校長の式辞、来賓祝辞、女師卒業生総代、一高女卒業生総代の祝辞と続き、永年勤続者の表彰式が行われ、付属校の落成祝賀会へと移っていく。

一九三七年(昭和一二)一月一五日刊行された姫百合会編纂になる『姫百合のかをり』(以下『かをり』と略称)は、式典後行われた付属校の落成祝賀会、本校における全校舎及び寄宿舎の一般開放、同窓生総会、記念映写会等があって第一日目が終わったこと、第二日目には「慰霊祭と音楽会」が行われたこと、三日目には「記念運動会」のあと懇親会があって、三日間にわたって行われた記念式典が盛会裡に終わったことを記録していた。

姫百合会は、『かをり』を編纂していくのに「えてしてこの種の書が編年体の無味乾燥なものになり易いこと」から題目や材料の排列、写真につとめて注意をはらい「全体として興味あるものにするといふ事につとめ」た、と記しているが、同書は、まさしく編者が意図した通り無味乾燥な編年体を脱し、十分に「興味あるもの」となっていた。

『かをり』は、三日間にわたる記念式典の記録が、単なる出来事の羅列になってしまわないようにいろいろな工夫がなされていた。例えば「バザー」について記した箇所だが、「工芸部や裁縫部」「家政科」の製品を紹介したあと「あゝ疲れた。こゝで一寸やすましてもらってから寄宿舎へ行くことにしよう」といったように、現場からの実況放送の形をとり、臨場感を出す工夫をしていた。

また、寄宿舎についての記述では「女子の寄宿舎は禁断の木の実。誰でも容易に外部からのぞき見る事を許されていない。その寄宿舎の扉が、今こそは凡ての方々に向かって晴やかに開かれたのである」と始め、「友よ来れ！　我等の住いはかくも楽しき。——父兄の方々は子弟の日常生活の姿に直接せらるゝであろうし、同窓生の方々—— 殊に嘗てはこの舎ですごされた先輩のお姉様方には、どれほどの懐しさを以ってかこの舎を訪れて下さる事であろうぞ」と語りかけ、寄宿舎の様子をさらによく知ってもらうための一手として寄宿生の「日記」を援用していた。

『かをり』は、教師、卒業生、在学生の回想文を多用し、女師・一高女の歴史を浮かびあげた「興味ある」記念誌となっていた。編者は「今後、五十年、百年の後、又第二第三の記念誌が編まれる」に違いないと記していたが、その後、女子・一高女は同様の記念誌を出すことなく、沖縄戦を迎え、「姫百合学園」は、消滅する。

戦後、女師・一高女の同窓生は、学園復活に向けて動き出す。論議、熟考をかさねた後、再建は無理だと判断され、学園の夢は断たれたが、一九八七年六月七日、同窓会は、『ひめゆり—女師・一高女沿革誌—』(以下『ひめゆり』と略称)を刊行していた。その「発刊の辞」に、

昭和十年の創立記念行事の事業の一つとして、翌十一年(十二年—引用者注)に発刊された記念誌「姫百合のかをり」を編集された先生方は、第二、第三の記念誌を期待すると言っておられるが、昭和二十年暗い幕で閉じられたひめゆり学園の記念誌はこれが最後の

ものになると思う。

とある。

一九八二年九月ひめゆり同窓会は、学園再建を断念し資料館建設にかじを切り、翌八三年五月には、第一回沿革誌編集会議を開いていた。「姫百合学園」が消えて四〇年になるのを前にして、同窓生たちは、『かをり』以後の在りし日の学園の記録を是が非でも残さなければならないと決意したに違いない。『ひめゆり』は、そのような決意のほどが伝わってくるもので、『かをり』を踏襲し、敗戦までを記録して刊行された。

二〇〇四年には『続ひめゆり―女師・一高女沿革誌続編』(以後『続ひめゆり』)が刊行されていて、「ひめゆり学園の記念誌」の最後は、『続ひめゆり』ということになるが、総合的な「記念誌」としては『ひめゆり』が「最後のもの」であったといっていいだろう。

『ひめゆり』は、明らかに『かをり』を踏襲して作られていた。それだけに「姫百合学園」の歴史とともに卒業生たちの息吹が、『かをり』同様生き生きと伝わってくるものとなっている。そしてまた、「姫百合学園」のすぐれた水先案内書ともなっている。

『ひめゆり』には、『かをり』同様、同窓生の手記が数多く収録されている。その多くはもちろん、学業や催事、先生方のことであるが、あとの一つに「寄宿舎」（時に「寮」と表記）についての回想がある。

寄宿舎は、「ひめゆり」たちの青春の姿を生き生きと写しだした場であった。「ひめゆり」たちが残した寄宿舎を回想した文章を追って行けば、大きな夢に向かって一歩を踏み出した「ひめゆり」たちの青春が浮かび上ってくるはずである。十代の彼女たちがそれぞれに生きた明治・大正・昭和「戦前」という時代とともに。

Ⅰ、寄宿舎へようこそ

寄宿舎同室の友と（1941 年）

創立二五周年記念日の寄宿舎

『かをり』の「中編　姫百合の巻」の一項「四　寄宿舎の公開」については、「はじめに」でも触れたが、同項の筆者は、「寄宿舎の扉が、今こそは凡ての方々に向かって晴やかに開かれた」といい、さらに言葉をかえて「我等の歓喜の扉はおのづからに開かれたのである」と畳みかけ、「私達は今この喜びの日の舎の様子を高橋さんの日記からかりる事にする」として、高橋豊子の日記を引いていた。

高橋の日記は、「記念日当日の寄宿舎」の朝の様子から始まる。いつもは朝寝坊のものも起きだして、雨戸を繰っているといい、秋の晴れ渡った青空、廊下に張り巡らされた万国旗、そして、準備がおくれててんてこ舞した様子におよび、一年生は、もう他の部屋と見比べている、と下級生たちの気持ちの高ぶりを伝え、式のあとで「各部屋を見て歩いた」として

どの部屋も〱予想以外の上出来なのに吃驚する。「お正月」「雛祭り」「七夕」「観月会」「針供養」「遥拝」「不時呼集」「送別会」「土曜日」「帰省の前日」「舎の一日」「理想の学寮」「御部屋会」「寄宿の午後」「試験の前日」等十分に舎生活が面白く楽しくおかしく現わされて

いるのに感心した。

と書いている。

日記はそのあと、卒業生や先輩の奥様方、ご父兄方がおしよせて、まるで「銀座通りの様なにぎわい方」であるといったことから、彼らが発した感嘆の声、意見、質問、疑問等を書きとっていた。

高橋は、最初の一日が終わり、床についたが、目がさえてなかなか寝付かれないのに、一年生はもう寝息をたてていると、興奮気味の一日をたどっている。

寄宿舎を訪れたものたちは、部屋ごとに趣向を凝らした飾りつけを見て感嘆の声を上げたことが日記からわかる。そのなかでもとりわけ人々の目を引いたのは、寄宿舎の春秋とでもいった、引用に見られる行事の展示であった。一般の参観者には、寄宿舎の学生たちがどのように日々を過ごしているのかがわかるようになっていたし、先輩や卒業した奥様方には、かつて過ごした青春の日々の懐かしい思い出を蘇らせ、立ち止まり、去りがたい気持ちを起こさせたのである。

『かをり』は、生徒たちの「寮」の生活の一端を知ってもらうために高橋の日記を援用していた。そしてそれは、適切な採択であった。式典の華やかさと喜びをよく伝えていただけでなく、「寮」の生活をよく語るものになっているからである。

『かをり』は、「第三　学園は楽し」の章で、「寄宿舎の生活」の項を設けていた。そこには「寄宿舎は一面学校の延長であると共に、他面家庭の延長でもある。殊に遠く親許を離れて入舎している生徒に対しては、その寂しさをお互いに慰め合う慰安の場所でもなければならない。それでこゝでは機を見て修養のために又娯楽のためにいろんな行事が行われる。／修養会、親睦会、室長会、七夕祭、観月会、針供養、桃の節句等々。そして、その時は一同うちくつろいで相語らいもすれば、余興に楽しむ事もあるのである。／寄宿舎は実に乙女の夢をつゝむ思出の家なのである」（／は改行箇所。以下同）とうたっていた。

高橋の日記に見られた行事日程表に重なるようにして「寄宿舎」の行事が列挙されていたが、『かをり』は、ここでも、高橋の日記を用いていた。

「寮の窓」と題された高橋のそれは、「自分が窓に造った四年間の思出を思い浮かべ」て書かれたものである。

読書にあきて何心なく窓辺についた頬杖にソヨ〳〵あたる涼風で夏が来たなと青空の雲

を見上げてつぶやいたあの時、又、窓下に這寄る虫の音を聞きながらうと〳〵と夢の国へさそわれた夜、春にもなれば窓際の百日紅の枝を折って頭にさしたり花瓶に活けたりしてはしゃいだときもあった。又はじめて母の膝下をはなれて入舎した晩、夜汽車のピーッとなる音に堪らなく淋しくなって窓際で人知れず涙を拭いていた。

寄宿舎の窓辺に頬杖をついて放心しているさまや、若夏の空を見上げているさま、虫の音を聞いていたり、花の小枝を耳にはさんだりしているさまを映し出した一編は、時にはしゃぎ、時にたまらなく寂しくなって、人知れず涙を流したりする、思春期の少女の姿を彷彿とさせるものとなっている。

「寄宿舎」は、「寄宿舎の生活」の項に見られるように「遠く親許を離れて入舎している生徒に対しては、その寂しさをお互いに慰め合う慰安の場所でもなければならない」のであり、寮生たちが寂しくならないように四季折々の行事を取り入れて祝ったのである。孤独感をかこつことがないよういろいろな工夫がなされていた。それでも、新入生にとって入舎は、この上なく心細いものであった。

高橋の文章は、そのことをよく語るものとなっているが、夜汽車の汽笛に涙したのは高橋一人ではなかった。

「夜も更けて安里駅の物寂しく遠ざかる汽笛に、田舎の我が家が恋しく人知れず涙ぐんだものでした」（城間素子　昭和一七年一高女入学）、「安里駅から最終の汽笛が聞えてくると、何となく物悲しく、その音色に枕をぬらしたこともあった。家を思い、母を思い、小さい弟妹たちのことが思い浮かんできて」（本村つる『ひめゆりにささえられて』フォレスト）といったように、新入寮生たちの多くは、安里駅から聞こえてくる汽笛に家郷を偲び涙しているのだが、やがて、寄宿舎は、その寂しさを忘れさせ、楽しい場所となっていく。

寄宿舎の落成記事

「寄宿舎」について『琉球新報』が「女師・高女近況」の見出しで「女師は全寮制・一室十六〜十七　高女は遠隔地のもの二四人、二室　舎監五人」と報じたのは、一九一六年（大正五）五月一一日である。その後一一月二九日には、「寄宿舎の一隅より」の見出しで、次のような記事を出していた。

甘蔗の枯葉吹く秋風を聞き乍ら昨日午後女子師範及女学校の寄宿舎を訪れ候。同寄宿舎は本年一月落成致し現在女子師範生百十一名女学生二十名を収容し一大スィートホームが出来居り候。舎監長は近藤教諭、舎監三木、小西、津田、川上四先生にて候。自習室は師範七室、一室一五六名宛にて少々窮屈にて候が尚一棟工事中にて候えば窮屈も今暫くにて候。一室には室長一名副室長一名を上級生より置き尚備品係二名衛生係二名有之候。

『琉球新報』は、そのように「寄宿舎は本年一月落成致し」と書いていた。「本年」は、いうまでもなく一九一六年のことである。『ひめゆり』は、『かをり』に引用された『おとひめ』第一二号に掲載された「寄宿舎だより」の書き出しを孫引きしているが、「大正六（一九一七）年には寄宿舎が落成」と書いていた。

『ひめゆり』が、一九一七年「寄宿舎が落成」としたのは、『かをり』を書写した際の単純な誤写で、『かをり』には「増築が落成」とある「増築」を落としていたのである。「増築」を落としたのは、確かに単純なミスだが、『琉球新報』に見られる「一棟工事中」の一棟が、完成したという点に注目すれば、一九一七年に落成として間違いであるわけではない。

寄宿舎建設の経緯について、一九一二年（大正元）一〇月、師範学校に赴任してきた古市利三郎は、「男女並置」である師範学校の敷地が「極めて狭隘なるのみならず前は龍潭の城池にして他の三方は道路及民屋に遮ぎられ、全く拡張の余地なく女子寄宿舎は、狭隘なる民屋を借りて僅かに雨露を凌ぐの状態」にあることから、女子部を独立させ、「校地に余裕ある高等女学校に並置し、以て男女師範学校を拡張するの計を」たてたといい、一九一四年（大正三）には、「師範学校独立案と共に寄宿舎新築案が提出」され、県会で議論された後、多数をもって即決され「早速に寄宿舎新築の工事に着手し」たとある。

一九一五年（大正四）には高等女学校、師範女子部両校の「合併について生徒相互の挨拶が交換されて」、翌一六年（大正五）一月には、高等学校敷地に女子師範学校が移転してくる。

一九一四年の「合併の内議」から、一五年の両校並置認可をへて、一六年には合併し「女子師範の生徒は全部寄宿舎に収容」され、「女学校の方も遠地より来れる者」は収容する。『琉球新報』の記事は、そのことを踏まえたもので、先の引用に続け「炊事委員」の構成、炊事係の仕事、さらに寄宿舎の収容人数、舎監教員、各委員の紹介をしたあと「最近一週間の献立表」を掲げていた。それをみると「朝の部」には豆腐、もやし、わかめ、冬瓜等の味噌汁、「昼の部」には豆腐、豚肉、冬瓜の煮付、時に雑炊、里芋でんがく、「夜の部」は牛肉、里芋・蒟蒻、素麺の煮付、時にちゃんぷるー、清汁となっている。献立表は欄外に「木曜日には蜜柑のおやつを午後四時に與う右の食事料一人十三銭宛にて候。師範は県より月三円宛給する事と相成り候。炊事当番は毎日交代に務め居り候。起床は五時半にて就床九時半、六時四十分に朝飯、正午昼飯、五時半に夕食と一定され候」と、献立のほか寮費、当番、食事時間等を記し、さらに続けて、

門限は五時半にて厳重に致し居り候。午後七時より九時までが自習時間にて八時に十分ばかり休憩時が置かれ居り候。雑誌はよく読む方にて寄宿舎としては雑誌婦人之友と婦人世界、新聞は東京朝日と読売を取寄せ居り候。本県の新聞は学校より借りて読み居り候。朝飯前六時に全員検査を行い朝礼の後新鮮なる空気を吸い乍ら体操致す由にて候。川上舎監に案内されて各室を視察致し候。何れもキチンと整頓され大人しく裁縫などいたし候。花瓶に挿したる菊も奥床しく感じられ候。

尚ほ川上舎監の御話しに依れば一ケ月に一回以上茶話会を食堂に開催する由にて、両校の折合も睦しき由にて候。合同運動会の切迫致し其準備に多忙を極めピアノの音も絶えず聞え居り候怱々（白水）

と閉じていた。

記事は、そのように門限から寄宿舎の時間割、購読雑誌、余暇の利用といった点にまで筆をのばし、余すところがない。

「増築」前の寄宿舎の様子を活写した記事に、今少し説明が必要だと思える点があるとすれば、「両校の折合も睦しき由にて候。」と書かれている点であろう。

女子師範・高女合併問題

高等女学校、女子師範両校の合併問題が白熱化するのは一九一四年。論点は、三つ。一点は、女子師範の独立。二点は、併置、三点は、現在のまま男子師範と同置、というものであった。論議のすえ、一は、予算の問題もあって、不可。そこで二か三のうちのいずれにするかということで、四つの論点、①教育の効果、②男師、高女の生徒に与える影響、③風紀の問題、④財政上の特質といったことが問われることになるが、併置に関する論点にだけ絞って行けば、高女に併置すると、女師には損益がなく、高女の利益になること、教育目標が異なること、女師高女間に、嫉妬が起こりやすいこと、高女に併置すると、華美の風に流れやすくなる、といったことが論じられた。そこからわかるように、女師・高女間には、溝があり、すぐに埋められるようなものではなかった。

師範学校女子部が沖縄県女子師範学校として独立するのが一九一五年、女子師範学校が高等女学校に合流し、並置校として出発したのが一九一六年である。

女子師範は、一八九六年（明治二九）に女子講習科（一九一〇年、師範学校女子部設立）、高等女学校は、一九〇〇年（明治三三）に私立沖縄高等女学校（一九〇三年、県立高等女学校）として、師範学校内に設置された。一九〇四年（明治三七）師範学校が失火のため全焼し、首里城内の仮校舎に移るまで、女子師範、高等女学校共に師範学校内で学び、一九〇八年（明治四一）、高等女学校の新校舎が真和志間切安里村に落成し、十一月一日移転していくまで「学園生活を共にして」いた。

一九一五年（大正四）には「女子師範学校が独立し高等女学校との合併が決定」、翌一六（大正五）年一月一二日、合流するが、「学校の規則が違い教育の目的も同一ではなく、年齢の隔たりもある両校生徒が一緒になったので、何かにつけしっくりいかない点が多かった」のである。

『ひめゆり』は、女師の前身である女子講習科と一高女の前身高等女学校が、師範学校校内で、共に机を並べて学んでいた過去がありながら、しっくりいかないのは、高女が「首里を離れて八年を経た間に別々の気風が育った」ためではないかと記していた。

記者が、あえて「両校の折合も睦しき由にて候。」との一句を書き添えたのは、合併当初「併置された二つの学校の生徒たちはなかなかしっくりしないで、校長はじめ職員はかなり心を痛めたようである」と『おとひめ』が記しているように、さまざまな「軋轢」があったことをそれとなく伝えていたのである。

寮歌の成立

『かをり』は、一九二〇年（大正九）の項に「両校合併後、女師と高女の工合はなか〳〵一朝一夕にはうまくゆかなかったらしい」と書いていた。九月、楠品次校長(第二代目)は、「全校生徒を講堂に集めて、この事に関して訓戒され、両校生徒に次の七ケ条の宣誓をさせられた」としてそれらを掲げていた。七ケ条の一つに「我が女師高女両校ノ生徒ハ今後一層相親和シテ一心同体ノ一団トナリ我ガ校ノ意ヲ奉ジ我校及我等一団ノ名誉幸福ノ為ニ忠実ヲ尽ス事ニ一致ス」とあるのは、合併後なかなか「相親和」することがなかったことを語っている。

『かをり』は、また一〇月三〇日、「教育勅語御下賜後、三十年の記念日にあたるので、本校に於ては午前九時から講堂に於て荘厳な記念式があげられ、校長及び牧野近藤両教諭の御訓示講和等」があったと記し、「この機会に本校の寮歌徽章について一言しておきたい」として、寮歌を掲げていた。

寮歌の歌詞は次の通りである。

一、敬いなつき行くまゝに　まことわが父わが母と
思う心のいや増して　まどい楽しきわが住居
教え守りつなさけにあみつ　恐れず馴れず慎みて
学の道に茂り合う　言の葉草を摘みてなん

二、睦み交してゆくまゝに　まこと我が姉我が妹
思う心のいやまして　まどいたのしきわが住居
善きすゝめつ悪しきをいさめ　たゆまずうまずいそしみて
文の林に咲き匂う　桂の花を手折らな

「寮歌は近藤氏の作」であるという。

近藤は、「寮歌」を作るにあたって、成瀬仁蔵の「女子教育」に見られる「附第二寄宿舎論」を頭の片隅に置いていたのではないかと思われる。成瀬はそこで「吾人の理想とする所の寄宿舎は、監獄的若くは兵営的の寄宿舎にあらずして、家族的寄宿舎なりとす」といい、三者の違いについて述べたあと、「二三棟の長屋を建築して、之を数軒に分割し、台所、風呂場、客室、等より装飾器具に至る迄、悉く家庭同様に之を具へ、各戸に生徒凡そ十名許住ましめ、可成智識あり、徳望あり、兼ねて家庭生活に経験ある女子を招して、舎監となし、慈母の代理として全生徒の管理を負担せしめ、各戸の生徒は、年齢に従って姉妹の関係を有ち、喜憂を共にし、強弱相扶け、慢らず、嫉まず各々相当の役目を分担し、会計又は料理の如きも皆生徒自ら之に従事し、殊に順序を守り、規律に遵ふべし」と論じていた。

成瀬は又「新時代の教育」の中でも「寄宿舎」について述べているが、そこでも「女子寄宿舎にありては、特に感情の涵養と、家庭生活の実習とに力むるを要するを以て、家庭的要素を、なるべく多く加味する工夫を要す」とすると共に、「寄宿舎は娯楽、慰安、休息の場所たり、趣味養成の場所たるを要す」といったことを述べていた。

近藤の「寮歌」の一番「まことわが父わが母と」や、二番の「まこと我が姉我が妹」に、成瀬の論の片鱗を見ることができる。

『かをり』には、当の近藤教諭の手記が収録されている。題は「お父さん」。それからすると、寄宿舎では、すでに舎監を「お父さん」、上級生を「お姉さん」、下級生を「妹」と呼んでいて、成瀬の論によるまでもなく、日常化していたことを踏まえていたに過ぎないともいえるが、寮をあずかるものにとって、成瀬の著作は、必読のものであったように思えることからして、少なからず感化を受けていたということはあろう。

近藤が赴任してきたのが一九一六年（大正五）一月、「舎監兼務というので、当時の校長蟹江氏の配慮に依って校内の心字の池を前に仏桑花の窓辺にゆらぐ一室を与えられ」「日夕舎生と寝食を共にすること」になったという。以来、一九二六年（大正一五年一〇月）離任するまで十一年間、「寮父」として寄宿舎の一室で暮らしているが、「寄宿舎の一隅より」に「舎監長は近藤教諭」とあるように、赴任当初から舎監長を務めたことがわかる。

近藤教諭が「寮歌」の作詞にあたったのは、佐々木信綱の主宰した「心の花」などの冊子で「文詞を練り、詩趣を磨き、情操を養った事」によるが、なによりも、「寮父」として、なにかと「軋轢」のあった両校の生徒が「敬いなつき」「睦み交して」ほしいという願いがあったことによってていよう。

II、寄宿舎の始まりと事件

沖縄県立女子師範学校寄宿舎の一部（昭和初期）

師範学校の焼失（一九〇四年）と校舎・宿舎

師範学校内に女子師範が設置されたのは、一八九六年（明治二九）、私立沖縄高等女学校が設置されたのは、一九〇〇年（明治三三）年。〇四年（明治三七）師範学校の焼失により首里城内の仮校舎に移っていく。

当時の様相をよく伝えているのに、富原初子の「過ぎし日」がある。

富原は、その中で、師範学校の焼失により、仮校舎となった首里城に、焼け残った備品を運び込むのに、何回も石段を上り下りしたといい、「城内、王様の御居室近くの棟は職員室その北隣りの正殿につゞく幾つかの御部屋と正殿とが教室、そして正殿の真向かいや庭をへだてゝ、今の第二小学校よりにあったお長屋が師範の寄宿舎」になったと書いていた。師範の寄宿舎になった「お長屋」が、どういうものであったかについての情報はない。

一九一一年（明治四四）「第八回の卒業生」だという安慶名美津は「思出草」のなかで「入学試験を受けた場所は首里城で」あったといい、「当時男子師範も首里城で、さしも広かった城内隈なく校舎や寄宿舎に当てられて」いたと書いていた。富原のいう「お長屋」の位置と、安慶名のいう「城内」とが、重なるものであるとすれば、少なくとも、一九〇八年（明治四一）まで、寄宿舎は「城内」にあった。

一九一〇年（明治四三）には、師範学校内に女子部が設置される。同年入学したのは四〇名。その中のひとり、森幸は「のきばの南風」で、次のように書いていた。

私共が第一回生として男子師範内の女子部に入学致しましたのは昨今のように思われますのに、最早二十五年になります。あの首里城下龍潭池畔の学び舎に入りました時は、四十人の姉妹一クラスで伊江御殿や豊見城御殿等を代用された仮の寄宿舎で、石油ランプの下で予習復習をして居りました。

女子部とともに「首里城内の仮校舎を使用していた高等女学校に」移転認可が下りたのが一九〇七年（明治四〇）八月、翌〇八年（明治四一）一一月一日、高等女学校は、真和志間切安里村に移転する。

一一月八日、『琉球新報』は、「高等女学校の新校舎」の見出しで「昨日午後高等女学校を訪い富永校長に伴われて新築校舎を縦覧」したといい、校内の総坪数、建物の方角、室数等について述べたあと「生徒の寄宿舎は十八畳敷の二間ありて十五六名程の生徒を収容さるべしと云う寄宿舎は勉強室の外応接室食堂病室化粧室浴場下女室の設備ありて先ず完備せる者と云うべし」と報じていた。
高等女学校は、いち早く寄宿舎を備えた新しい校舎に移っているが、師範女子部は、師範学校の教室をやりくりし、「寄宿舎は民家を借り入れて」使用することにしている。

明治四二年の新聞より

一九〇九年（明治四二）、一二月五日付『琉球新報』は、「師範女子部経営方針」として「県当局の調整せる師範学校女子部四年計画の概算書に依りて其経営の方針を窺うに生徒の数は年々四十人を募り、校舎は別に新築を要せず現在の師範学校校内に於て教場の遣り繰りを為し寄宿舎は民家を借入れて之に充て生徒には男性同様に食事を給し被服は袴と短靴を与え外に被服洗濯料浴湯費等を支給するの計画なり」と報じていた。
翌一九一〇年（明治四三）四月一日付『沖縄毎日新聞』は、「女子徒入舎心得」として、次のような記事を出している。

此年度より新設せらるべき本県師範学校女子部は会計年度都合にて本四月一日以後にあらざれば仮寄宿舎の設備に着手すること能わざる由にて自然男生徒新入生と同様に来る六

日より入学始業の運に至らざれども凡そ本年中旬頃には始業せらるゝ見込みなる由尚其際には各自左の物品を携帯して入舎するを要すと云う

女子部生徒入舎の際携帯すべき物品

一．被服在合の筒袖角袖の着物袴等（被服の容器は柳行李若くは支那かばんの類）

二．寝具枕、寝具は夜着若くは小杉の布団

但し毛布のみを寝具となすものは三枚携帯すること蚊帳は学校より貸与す

三．上草履　本県製の皮草履

四．洗面器　手拭楊枝等

五．自習用の机　　　机の寸法　長二尺七寸幅一尺一寸五分

六．文具

七．髪結道具　櫛油等

八．箸及び箸箱

九．教科書代金約七円

一九〇九年の『琉球新報』、一九一〇年の『沖縄毎日新聞』の記事から分かる通り、県は、

女子師範の経営方針、とりわけ寄宿舎問題に、相当心を砕いているが、その結果は「師範学校内で教場の遣り繰りを為し寄宿舎は民家を借入れて之に充て」るといったものであった。そして、一〇年中旬頃までには、寄宿舎を建てるので、その準備をしておくようにと入寮の際の物品を指示していたのである。それを見ると、「寝具枕」をはじめ、身の回りの細々としたものまで揃えなければならず、入寮するにもある程度の財力が必要だったことがわかるが、それは、借り入れられた「民家」に入る時もほとんど変わりはなかったのではなかろうか。

殿内・御殿の寄宿舎

寄宿舎ができるまでの間の措置として借り入れられた「民家」の一つが「伊江殿内」であろう。やがて「伊江殿内」だけでは間に合わなくなって「豊見城御殿等」を加えていったことが、森幸の手記からわかる。

『ひめゆり』によると、「寄宿舎は伊江殿内だけでは手狭になり、豊見城殿内、小禄殿内を次々と借用している」とある。伊江殿内、豊見城殿内(御殿)、小禄殿内が「借用」されたのは、御殿、殿内といわれるだけに家屋敷が広かったからである。そのような家屋敷を借りて出発した「寄宿舎」の生活について書いた一人に、真先千代がいる。

一九一〇年(明治四三)師範女子部に入学した真先は、仮寄宿舎に充てられた「伊江男爵家」での日々を、「いくつかの大小の室に幾人かづゝ割当てられ四人に一つのランプで勉強した」こと、「夕空晴れてのお唱歌を歌ってしまいに泣いてしまったり」したこと、「土曜の晩の茶話会によく余興」をしたこと、「常夏の虎頭山に散歩したりお花の材料をさがしに首里城の森に」わけ入ったりしたこと、そして「のどかな龍潭池畔の春や弁天堂あたりの散歩など」がなつかしく思い出されると書いていた。古城のあたりを散策する感傷的で多感な少女の姿が浮かんでくる回想である。

一九一二年(明治四五)入学した見里春は、「寮」について「寮は第一寄宿舎、第二寄宿舎に分かれ、第一は四年生と二年生で元の伊江殿内の跡、第二は三年生と一年生で豊見城御殿の跡に入った。さすがに御殿の跡。お屋敷も広く、五十人余りが生活を一緒にして、毎日を楽しく過ごすことができ」たといい、「部屋は八人だったと思う。机を向かい合わせて並べ、四人づつの二列だったはずだ。各室からは、毎日の掃除当番と時々の掃除当番があって、これに当たると忙しい。すべての合図は鐘の音で知らされた。食事当番の時は、早目に食堂へ行ってご飯のおひつを運び、お汁のお椀を並べる等の準備をしていたが、食堂は台所につづいて、それが舎監室の裏に当たっていたので、騒々しくならないように気をつけなければならなかった」と書いていた。

御殿、殿内における寮生活の大概がそこからわかる。『ひめゆり』は、豊見城殿内、伊江殿内と記しているが、御殿と殿内とは大きな違いがあった。「『伊江御殿家関係資料』重要文化財指定記念企画展」パンフレット「古文書に見る首里・那覇の士族社会」によると、首里王府の役職の多くは首里に籍を持つ「士」、すなわち首里士が担ったが、「同じ首里士といえ役職や家柄で差があり、国王の子（王子）を元祖とする御殿家（王子・按司地頭家の尊称）は按司奉行といった名誉職に就き、殿内家（総地頭家の尊称）の人々は三司官や表十五人など高位の職に就いた。」という。

御殿と殿内は、そのように「役柄や家柄」に差があった。しかし、両者ともに広い屋敷を有していたことは同じで、「寮」としては申し分なかったに違いない。

御殿、殿内が「寮」として使われていたことを記した見里の手記はそれだけでも貴重であるが、それに加えて、あと二点ほど大切な記述があった。

そのひとつは、「手紙」に関する件である。

ラブレター事件

見里は、ある日、「手紙」のことで先生に呼び出される。そこで先生に、手紙を出したのはだれかと問い詰められ「私」だと答える。翌日、別の先生に呼び出され、ほんとにあなたが出したのかと問われ、実はそうではないと答える。先生は「これからは、どのようなことに出会うかも知れませんから、もっとしっかりして、知らないことは知らないと、はっきり答え、他人の行為を引き受けるようなことをしてはいけませんよ」と注意する。

実は、その「手紙」は八重山出身の級友が「同僚の友人に宛てた他愛のないメモであったのだが、先生方が恐かったので、悪い事でもしたかのように思い、名前を口に出来なかった」のだと、見里は書いていた。

見里のとりあげている「手紙」事件は、何年に起こったことなのかはっきりしないが、一九一二年（大正元）一〇月一五日付『琉球新報』は、「女子師範生の醜聞」として次のような記事を出していた。

魔風吹き荒ぶ帽子会社の職工風情ならば兎も角も苟くも身を教育界に委ね子弟を薫育せんとする女子師範学校の生徒に忌わしき醜聞事件あり□此程遂に退校を命ぜられしが此の

女は那覇区泉崎生れの大見謝カマド（十八）と云う本科一学年の生徒にして本年四月未だ入学せざる頃より那覇区字久茂地玉那覇宗達（十八）と云う第一中学校三学年生徒と関係をつけ双方手紙の交換をなし居たり斯くて本月五六日頃カマドは玉那覇よりの手紙を受取り他に見付けられざる様畳の縁に隠し置きしに舎監に密告せるものありて発覚し夫れより男女共取調べを受け前記の如くカマドは退学を命ぜられ玉那覇宗達は停学の処分を受けたり

新聞記事は、生徒同士の「手紙」のやり取りが、退学や停学に値するものとして、受け取られていたことを示している。

見里は、「同僚の友人に宛てた他愛のないメモであった」と考えていたが、先生たちは、そうではなかったのである。「手紙」のやり取りは、退学や停学に値するものであったのである。それにしても「密告」による発覚だったというのは、にわかに信じがたいことである。

「手紙」に関しては、さらによく知られていた事件があった。

『おとひめ』は「明治四十三（一九一〇）年〜大正三（一九一四）年、師範学校女子部に学んだ平良カナ談話」として引いてあるが、そこで平良は「放課後学校に残されて、その間に先生方が寄宿舎の生徒の机の中を探して男生徒からの手紙などをみつけ出された。それに一年のときひっかかったのが早大に行った大浜（信泉）さん。退学になった。」と話していた。当の大浜は、のちそのことを回想して「師範学校に入学した年に女子師範が開設されたが、校舎には男子師範の校舎の一部がそれにあてられた。男子七歳にして席を同じゅうせず式の儒教の戒律が男女の間を律する規範とされていた時代であったから、相互の交通が禁じられていたことはいうまでもなく、むしろきびしく隔離されていたといった方が適切であろう。」といい、それでも若い男女の異性への関心を断ち切ることはできないし、当時、男子生徒の間で話題になっていた人がいたが、女子の間でも、同じような現象はあったに違いないとし、次のように書いていた。

それはそれとして女子学生のうちに私の従姪がいたが、その従姪を通じて心をこめて編んだシオリを送ってくれた一女性がいた。しかもその女性は学校中で最も美人の評判の高い学生であったのである。大いに思い悩んだあげく、とにかく従姪を介してお礼の手紙を届けた。それが私にとっては身の破滅の種子になってしまったのである。三学年の学年試験も無事に終了し、学校もいよいよ休暇にはいろうとする日に主任の先生に呼び出され、懇々と説諭のうえ諭旨退学を言い渡された。直接一言の言葉をかわす機会もなくしてついに初恋の芽をはかなくもつみとられてしまったようなものであったが、それよりも私にとっての最大の痛手は、親がたててくれた人生計画が根底から覆されてしまったことであり、それこそ致命傷にも等しかった。（大浜信泉『私の履歴書22』日本経済新聞社）。

平良カナ談話にある大浜が「一年のとき」というのは、記憶違いであるが、大浜が語っていたように「手紙」は、「退学」とつながるものであり、「致命傷」を与えずにはおかないものであったのである。

さきの「密告」もそうだが、平良が書いている「放課後学校に残されて、その間に先生方が寄宿舎の生徒の机の中を探して男生徒からの手紙などをみつけ出された。」といったことがなされた寄宿舎は、疑心暗鬼に満ちていたように見えないこともない。少なくとも、すべての面で楽しいところであったとはいえない。

見里が、先生に「説諭」されたのは、先生方が、「退学」につながるようなことの起こるのを恐れていたからに他ならない。生徒たちの交際に、厳しい時代だったのである。見里の手記は、そのように生徒たちの自由な交際が禁じられていた時代をよく語るものとなっていた。

ストライキ事件(一九一五年)

見里が書いていた「手紙」に関しては、後々、さらに厳しくなっていったようにみえる。一九一七年(大正六)に入舎した田港トシ子は、「恋愛をすればすぐに停学」と書いていて、「手紙」即「恋愛」ではなかったにせよ、「手紙」にはずいぶん神経を使ったように見える。見里の手記が貴重だと思えるあと一点は、女学校では後にも先にもない事件があったことがわかるものになっていることである。

見里は「手紙」が引き起こした事件について書いた後、「大正四年の春二月には」として、

師範学校女子部から女子師範学校に昇格し、安里ケ原の高等女学校と並置されることになり、折角馴れた校舎や寮、懐かしい先生方ともお別れすることになった。女学校と校舎や運動場を共にすることは、環境の変化という以外に、将来目的の違う生徒達が同じ校内に一緒になることでもあり、始めのうちはしっくり行かないところがあった。そのため私

達には、先生や校舎にも、なじめない部分があり、首里の師範学校時代が良かったという者が多かった。私は先に一年間通ったことのある学校だし、懐かしい気もしたが、やはり高女の生徒の

「イッターヤ、タダヌ女子師範、ワッターや高等女学校、ワッタードゥ上ヤサ。」

という、まるで笑い話みたいな幼稚な振舞いの言葉を聞くと、いい気持ちはしなかったのが事実だ。そうこうしているうちに、あゝであった、こうであったと些細な話が誤解や怒りに変り、旧師や元の学校が恋しくなってとうとう女子師範生は授業放棄をして一室に集まり、更に校門をでようとした。

と続けていた。

見里はそのとき「炊事当番の関係で、残念ながら一緒に行動」できなかったというが、師範生は、校門を出て坂下、観音堂、一中の門前を通って師範学校に行きついたところ先生方に慰められ皆泣き出したという。その夕方、寄宿舎に帰ってきて、教頭先生の所にいってわび、やっと騒ぎはおさまったといい、「毎日毎日気の晴れないことが続き、それが反発心まで高まって止むに止まれぬ気持ちになり、平和な学園の歴史にただ一度のストライ

キになった事と思う」と書いていた。

女子師範と高等女学校の合流・合併が、当初ぎくしゃくしていたことが、見里の手記からよくわかる。さらにその上、「ストライキ」事件まで起こっていたこともわかるのである。それは確かに「平和な学園の歴史にただ一度のストライキ」であったかと思うが、「ストライキ」ということでいえば、一九一二年（明治四五）の「師範学校ストライキ」、一九一三年（大正二）の「水産学校のストライキ」、一九一四年（大正三）の「県立徒弟校のストライキ」と続いた男子学徒たちの「ストライキ」事件と無関係であったようには思えない。

しかし、三校のストライキの原因は、それぞれに教師に対する不満から出たものであったが、女子師範の「ストライキ」は、まったく趣を異にしていた。それはもっぱら合併・並置によるもので、教師に対するものではなかったばかりか、師範の先生方は、ストライキをした生徒たちを慰めていたのである。

金城芳子の見たストライキ事件

一九一五年（大正四）、女師と高女生の争いが生じた時、金城芳子は高女二年生だったという。「県立高女は一つしかなく、女の最高学府のつもりでいばっていたところへ、教員養成機関としてやはり格の高い女子師範といっしょにされたのだから、なにかにつけおもしろくない」ばかりか、名称も女師、高女の順、整列する際にも女師が先、いちいち感に触ったという。高女生はわがままでお嬢さん育ちの都会派が多いのに対し、女師は地味で農村出身が多く、年もちょっといっていて、その上、士族だ平民だという意識がまだ強く、高女生には「フン！」という気持ちがあり、女師が通ると「師範のアバー（ネエさん）」と呼んで、ちょっと陰険にやる」といったふうであった。そこで起こったのが「高女の裁縫のお細目から長じゅばんを外すという」ことで、高女生は「あの人たちは先生になっても、尻をはしょって百姓もしなきゃならないけど、私たちはいい家の奥様になるから、長じゅばんぐらい生活の必需品」と言って女師を憤慨させ、「全員首里の旧校舎に引き揚げ、高女の校舎での授業を拒否する騒ぎに発展した」（『なはをんな一代記』沖縄タイムス社）と書いていた。金城は下級生で、「上級生の尻にくっついてワイワイやっていたのでそれ以上は知らない」というが、結果は見里が書いていた通りである。

金城は四年の時、見里春と、廊下でよくすれちがったといい、「たがいに目礼し合い、ある種の親近感を持った」という。優等生であることをお互いが認めあっていたということである。

Ⅲ、大正期の寄宿舎生活と団欒

正門と並木道（1933年頃）

寄宿舎の一日

一九一七年（大正六）四月、「大望を抱いて全県下から、二十八名が女子師範一部」に入学したと、田港トシ子はいう。女子師範は、「全寮制」で、高女の寄宿舎とは別に「三十畳敷の畳の部屋が十三室」あり、「各部屋には、各学年が割り振りされ十四名程のグループで室長、副室長を中心に寝食を共にし、上級生には『○○姉さん』と呼び、舎監長には『おとうさん』と呼んで家族のように仲むつまじく生活」したという。

田港は、そのあと寄宿舎の一日、制服、修学旅行、教生実習等について記しているが、ここでは寄宿舎の一日と制服とについて見ておきたい。まず寄宿舎の一日についてである。田港は「当時の一日を思い出してみますと」とはじめ、次のように続けていた。

まず運動場で朝礼があります。四年生が指揮をとり体操をし人員点呼、舎監長に報告、その後舎監長を先頭に運動場を軽く一周してから朝食をとりました。朝食のメニューは、ご飯とかぼちゃやお豆腐のお味噌汁で、だしは煮干しでとってありました。
午前中学校で学習し昼食時は、寄宿舎の食堂にもどりました。ご飯と野菜の煮付けが主でしたが、時々ご飯のかわりにさつま芋が出ると皆大喜びで食べたものでした。夕食は、ご飯と野菜のチャンプルーといった献立てでした。食べ盛りの十代ですから月一、二回はヌチャーシーといって一人三銭位出し合ってタンナハクルーを食べました。

自由時間そして晩の勉強時間がすむと、夕礼といって講堂に集まり人員点呼の後、全員床に正座し足が痛くなる位長時間精神修養のためひざまずきました。

寄宿舎の生活は、清潔、整理整頓がモットーでしたので、本立てのどこに何の本があると目をつぶっても取り出せるほどでした。


田港は、寄宿舎の一日を、そのように朝、昼、晩の食事を中心に書いていた。寄宿舎の献立は、ほとんど変化がなかったのではないかと思われるが、大正の初めごろはおやつに「ヌチャーシー」して「タンナハクルー」を買い、食べることのできた余裕の感じられる時代であった。

「タンナハクルー」は、「駄菓子の一種。水で煮溶かした黒砂糖液に、溶いた重曹を入れて、ふるった小麦粉を混ぜ合わせて耳たぶぐらいの固さにこね、めん棒で一㎝の厚さにのばして丸く型抜きし、天火で焼く。黒砂糖の風味を生かした保存のきく菓子」（南風原敏「タンナファクルー」『沖縄大百科事典』沖縄タイムス社）で、おやつとして人気があった。

田港の手記から、寄宿舎の一日の献立はわかったが、食事がどのようになされていたかについてははっきりしない。それを教えてくれるのに、一九一八年（大正七）、寄宿舎に入った山城球の手記がある。山城は、次のように書いていた。

寄宿舎の食堂は広くて、各室別に食卓が並べられていた。その前方にテーブルが二つ置かれて、舎監の先生二人が皆に向かって一緒に食事をしておられた。

食事は舎監も一緒だったのである。山城は、そのあと、痩せたいと思って、朝食抜きにしていたところ、舎監に呼び出されて、食事を抜くのなら、昼食を抜け、と注意されたといい、「舎監は監督上前の席で食事を共にして居られるものと思っていたが、それだけではなく生徒の健康管理にも留意して、一人一人を注意して見ておられるのだと知り、有難く感服したことがあった」と書いていた。

食中毒事件（一九一三年）

舎監が寮生たちと一緒に食事をとったのは、山城のように食事を抜いてしまう生徒がいたりするのを監督するためでもあったであろうが、それ以上に、食事そのものに気をつける必要があったためでもある。

『かをり』は、次のような事件があったことを記録していた。

本日寄宿舎生徒凡二十三名舎監熊野先生昼食時間に鯖の子の油揚げを食し中毒して一時大に心配なりしも大抵一時間半位経過して全治せり。金城校医、小波津医師来診高尾野ハル一人胃を洗いしに之れを見て他の生徒は却って驚きて早く癒えたる感ありき。校医来診、前舎監熊野先生及び校長持合せの熊本の毒消丸一二粒ずつ与えたり。二時間くらい経て凡そ全治せしは幸なりき

『かをり』は、校友会誌『おとひめ』第七号から引用しているが、「食中毒事件」が起こったのは、一九一三年（大正二）九月二三日のことであった。校友会誌『おとひめ』には「食中毒」の症状が詳細に記録されているという。雑誌が消失しているので、今それを見る事はできない。

女師・一高女の寄宿舎では不注意な出来事が、起こっていたのである。舎監が食事を一

緒にするのは人員の確認というだけでなく「生徒の健康管理」に留意してのことでもあったということがわかったと、山城は書いていたが、それは「食中毒事件」のような思わぬ出来事がいつ起こらないとも限らないからであったに違いない。その他、不意の出来事に対応するためにも、常に「舎監」は生徒たちの身近にいる必要があったのである。

制服の変遷（和服から洋服へ）

田港の手記に見られるあと一点、「服装」について書いているのをみると、

学校時代は制服がありませんでした。元禄袖か筒袖の木綿の着物を着、袴をはいての毎日でした。母が織ってくれた布を自分で着物に仕立てて着用していました。当時は小学校三年生から裁縫がありましたので、器用な人は四年生から自分のものは自分で縫ったものでした。袴は紫紺色で、形は今と変わりません。皆毎晩寝敷きをして、身ぎれいにするよう心がけていました。

と書かれている。

同じく一七年に女子師範に入学した源ゆき子は、三年になって修学旅行に行ったときのことを書いたなかで「裁縫の教材に作った大きな信玄袋に、着替えを詰め込んで持って行った。服装は元禄袖の袷着とはかま。それに晴雨兼用の雨コート姿。これも裁縫の時間の自作である。あのころは、黒い煙を吐く蒸気機関車。襟がすぐ汚れるといって、じゅばんの襟を五、六枚重ねて縫いつけた。そして汚れると一枚ずつはいでいくという具合だった」（『私の戦後史　第6集』沖縄タイムス社）と書いていた。当時の生徒たちは、裁縫の時間に縫った自作の着物を着ていたのである。

一九二七年（昭和二）高女を卒業した有馬シゲの手記を見ると「昭和二年の卒業生までは、制服というのはなくて、袴に革靴の服装で通学していました。普段は元禄袖でしたが、四方拝、天長節、紀元節、明治節、波の上祭などの儀式の日は長袖の着物をつけて登校しました」とある。

四方拝は、「朝廷の年中行事。天皇が元日の早朝に天地四方を拝する儀式」（『日本大百科全書』小学館）であった。天長節は、「天皇の誕生日を祝った祝日」、紀元節は、「四大節の一つで、一八七二年神武天皇即位の日を設定して祝日としたもので、二月十一日」（『広辞苑』岩波書店）に行われ、明治節は、「旧制の四大節の一つ。十一月三日。明治天皇の誕生日に当たり、一九二七年に制定」されたもので、それぞれに特別な日とされ、普段とは異なる着物で、登校していたのである。

一九二三年（大正一二）に入学し、一九二八年（昭和三）女師を卒業した浦添ツル子も「当時は和服でした。普段は元禄袖の着物にエビ茶の袴を着け通学しました」と書いていたし、一九二九年（昭和四）女師を卒業した宮城泰子も「入学当初は、和服、袴、下駄ばきでした。五月十七日の波上祭から洋服を着けることになったが、制服でなくめいめいで作った」とあるように、昭和の初期は、まだ、「制服」はなく、めいめいで仕立てた着物を着て登校していたのである。

「洋服が登場してくるのは、大正十三年の修学旅行あたりから」で、セーラー服になるのが一九二六年（大正一五）、しかし「ブルーのギンガムに白ピケ襟」の制服は、人気がなかったといい、「昭和七年に生徒の間から制服改善運動がおこって、後の紺を基調にしたモダンなセーラー服に改められた」と、『ひめゆり』は記している。

『かをり』は、「昭和七年四月の夏服改制」に関して「学校としては既に旧制服の服地を注文し只其の着荷を待って居た。所が当時の上級生はこの危機一髪の際に神速機敏に改制案を練り、実物見本を作製し、新旧両服の優劣を多方面より比較し確信を以て職員会に提案したのであった。正に理路整然、穏健円満、正々堂々たる提案であった。職員会も満場絶賛を以てこれを許容した。既に発した注文は之を撤回し改めて新制服地を取り寄せ即時改制服実施となったのである」と書いていた。

一九一七年（大正六）に入舎した田港は、寄宿舎の一日や制服について書いていただけでなく、その他「頭髪」「履物」についても触れ、「頭髪は二年生までは後ろにたばね、三年生以後は前髪をおこし束髪にゆったり」したこと、「履物は外出の際は下駄、年に一度の波之上祭のときは各自最高の盛装をして靴をはき着飾った」と書いていた。また寄宿舎の備品に関して「寄宿舎には新聞もなく」と付け加えていた。

一九一六年（大正五）一一月二九日付『琉球新報』に掲載されていた「寄宿舎の一隅より」には、「本県の新聞は学校より借りて読み居り候」とあった。寄宿舎は、もともと県内の新聞を購入してなく、読みたければ、図書館から借りだして読んだのである。

大正末期の食料事情

一九二一年（大正一〇）四月から一五年三月までの寄宿舎に関して『ひめゆり』は、亀谷ヤス、大湾竹、宇座冨美、仲宗根澄連名になる手記を用いていた。それは、次のように始まっていた。

大正十年四月師範一部予科に四〇名入学、通学できる那覇首里出身も全員入寮、通学は許可されなかった。但し土曜には外泊願いを出して外泊することはできた。

寮は北寮一室から三室まで一高女の生徒が入る。中寮は四室から九室まで、南寮は十室から十五室までで女子師範生が入る。一室に十六、七名入る。

お金は政府から九円補助があり、家からの送金は五円で学校や寮に支払うお金は一ケ月一円二十銭、残り三円八十銭がお小遣いや学用品でそれだけで十分間に合った。お風呂も一週間に三回あったし、おやつも一週間に二回位支給されたので買食いもあまりしなかった。大正十二年からは、おやつはあまりなかったが食事はよかったので栄養失調になることはなかった。

用がある時は放課後外出も自由だが、但し、舎監室から自分の名札を取り、門監の室に名札をかけてから外出することになっていた。五時までに帰らないと門監はその名札を舎監の先生にとゞける。おくれた人は事情を話して名札を受け取るようにしていたので夜まで外出という事はなかった。

又寮生は朝食前に朝礼と言って講堂に集まり、体操して後室長は人員点呼舎監に報告（異状なしとか、病人一人とか）毎日放課後は自由時間（勉強、洗濯、おしゃべり、お化粧、おたいこしたり着付け等）。夕食後は勉強時間があり、その時間は話してもいけない事になり大へん静かでした。それがすむと夕礼で、講堂に集り体操の後人員点呼舎監への報告、五分間正座して夕礼終り、室にもどったら机のかた付け就寝の準備消燈、これが毎日の日課でした。

大正期を通じて「毎日の日課」に変りはなかったように見える。政府からの補助金の支給開始時期や、その増減等については、彼女たちの手記からはわからない。また補助金が何に使われたのかわからないが、少なくとも一九二二年（大正一一）までは、一週間に二回程度おやつがあったのである。

一九二三年（大正一二）になると、その回数が減っている。源ゆき子は、服装について書いた後、寄宿舎の食糧についても触れていたが、そこで「大正七年富山県に起こった米騒動は全国に広がり、沖縄にも及んだ。一升二十銭だったのが、二倍以上の四十五銭にまではね上がった。その影響で寄宿舎も米代の支払いに苦慮し、赤字をなくすために非常手段が取られた。お昼はおにぎり一個だけで、ほかに何もつかなくなったのである。校長も先生方も皆同じなので、不平もいえない。だが食べ盛りのころだから、家が近くある人は食べに帰る。また石垣越にそっとふかし芋を買ったり、そば屋で空腹をしのいだ」と書いていた。源の回想によれば、おやつどころか、お昼もおにぎりが一個だけになっていたようだが、一九二一年に入学した者たちからは、食糧事情も好転していたのだろう。

おしゃべりと怪談

二一年入学者たちの話は、明るい。食糧事情についてもそうだが、規則に関しても、そう厳しくなく、寄宿舎生活を楽しんでいるように見える。「大正デモクラシー」のかすかな反響が感じられるところで、とりわけ放課後の「自由時間」のおしゃべりは楽しいものであったように見える。夜は夜でまた、寮生たちを賑わせた話題があった。

南寮の廊下からいつも見たあのイニン火、識名と壺屋から、フワリ〳〵と浮いてきたあのイニン火、時にはぶつかったかと思うと二メートル位もはねとばされてはなれたイニン火、化学の村上先生と図画の服部先生が電灯を持って探検にと勇ましくでかけていく。

イニン火は、「識名坂の若い夫婦が悪者の手にかかり別々の場所で殺されたため、二人の愛が火の玉となり、夜ごと識名坂下の金城橋あたりに出没する」という伝承を素材に、一九〇九年（明治四二）「識名坂の遺念火」の演題で上演され、広く知られていったものである（嘉手川重喜「識名坂の遺念火」『沖縄大百科事典』）。

寄宿舎の生徒たちは、その火を見たというのである。寄宿舎につきものの怪談だが、寄宿生たちのなかには、「識名坂の遺念火」の伝承を知っていたのもいたに違いない。しかし、芝居を見たものがいたとは思えない。芝居といえば、教育程度の低い人々の娯楽だと考えられていた時代である。

一九二三年（大正一二）から一九二七年（昭和二）三月まで女子師範に勤めた村上清造は、「いねんびー」と題して「寄宿舎の生徒の間に、寄宿舎の裏山に、『いねんびー』（本土では火玉といった）がでるというので、望遠鏡を持ちだして見たが、はっきりしないので、私は、生徒を寄宿舎の縁側に立たせ、『いねんびー』がでるという裏山にでかけた。すると、こちらの村からあちらへ、あちらの村からこちらへと、提灯を持って歩いて行く人を見かけたが、外に怪しい『いねんびー』を見つけることができなかった。これで、寄宿生の間の『いねんびー』という怪話を消すことになったわけである」と、村人たちの行燈の火が、怪談を生み出したのだと立証したことで、怪談話はなくなったとしているが、そんなことでなくなるような怪談であったとは思えない。

Ⅳ、社会情勢の変化と寄宿舎

ひめゆり橋にて（1931 年頃）

大正から昭和初期にかけての寄宿舎

一九二三年（大正一二）入学で一九二九年（昭和四）卒の渡名喜ミサは、寄宿舎が「健康管理やその他両親のそろった大家族よりまだ最高でした。皆そろっての食堂の食事、時には美声の姉さん方の独唱をきくなどなど」して楽しかったと書いていた。彼女にとって寄宿舎が「最高」だったのは、その食事や、歌声だけでなく、英語の得意な先輩に教えられ「初めて学ぶ英語の時間も楽しく勉強する事が」できたこと、「シェクスピアのロミオとジュリエット」の話などを聞いて新しい知識を得ることができたといったようなことにあった。

寮生たちの手記には、社会の動きが直接伝わって来るような生々しい記述はあまり見られない。そのほとんどが学校内の出来事でうまっているといってもいい。それだけに、寄宿舎は、特別保護区であったようにも見えるが、まったく社会の動きが遮断されていたわけでもなく、また無関心であったわけでもない。

渡名喜の手記を追っていくと「大正十二年の夏休みも終り二学期が始まる九月一日の午後那覇では号外がでていました。／関東大震災の報道でした。其の後寄宿舎でも救援の衣類を皆縫った」というように、大きな災害が起これば、それ相応の対応をしていたことがわかる。

『ひめゆり』は、「大正から昭和にまたがる時期は」として、「明暗極めて多彩な時期である。明治以降の日本の歴史の中で一時期、大正デモクラシイーと呼ばれる明るさの灯った時期でもあり、治安維持法に代表される暗い影がダブリ始めた時でもある」といい、「教育の世界」の動きと同時に「国際情勢」が緊張していく様子を略記していた。その中で「昭和初期」について「長期干ばつや不況に見舞われて庶民の生活は苦しくなり、教員の給与の不払い、遅払いなどが」生じたと解説していた。

昭和初期の恐慌の前兆となったといえる関東大震災による打撃は、沖縄の寮生たちにも伝わっていたことが、渡名喜の手記からわかるが、寄宿舎にはまだ暗い影は見られない。

寄宿舎の風物詩

次に引くのは、山内サダの「寄宿舎の思い出」である。サダは一九三一年（昭和六）女師一部の卒業生であるが、「思い出」は「主に一年当時の印象」を書いたもので、「（一）お汁かけ五杯もたべた」「（二）お日様が高かったから」「（三）日曜日の糊つけ風景」「（四）消灯後の勉強」といった四つの小見出しからなっている。

その（一）である。

宮古出身で、芋を常食としていた当時として、寄宿舎の食事は、毎日が折目か、お祝いのようでした。

朝食は、米七分麦三分のごはんに、煮干のだしのよくきいた濃い白味噌のお汁、身はわかめと豆腐、それに漬物。昼食は、厚揚げ、お肉、こんぶなどの煮つけ、夜は、魚のから揚げに、大根おろしに、おすましという具合にすばらしい献立でした。

ある日曜日の一〇時ごろ食堂へ行きますと、片付けがすまないで、台の上にごはんや、お汁の残ったおひつや桶があります。朝ごはんはすましたのに四人の宮古出身の者は、「さあ戴こう」ということで、あちらこちらの台から、おひつを持って来ては、お汁かけをして五杯も食べたのです。芋ばかり食べていた者たちにとって、ご飯と白味噌のお汁が如何においしかったか忘れることができません。

(二) では、宮古へ帰る人を港で見送ったあと、電車賃を惜しんで歩いて帰ったところ、寮の門限に間に合わず、舎監にその理由を問われ、「お日様が高くて、まだ明るいから大丈夫と思いました」と答えたら「そんな答えがありますか」と一喝されたものの、笑いながら許してくれたといったこと、(三) は、日曜日には、朝から糊をつくり、着るものすべてに糊付けし、干すのだが、その様は「寄宿舎の風物詩」といっていいものだったといったことが書かれていた。

(四)では、

九時の点呼がすむと、九時半は消灯です。各部屋の電灯は消えて両部屋の境の廊下に十燭光の赤い電灯がつくのです。生徒たちは、二つの蚊帳に入って寝るのです。しばらくすると、二、三人の人が本を抱えて廊下の電灯の下に立ちます。しばらくすると、もう十人近くの人が、電灯の下に集まっています。小説を読みふける者、予習復習をする者等です。やがて舎監の先生が草履をバタン、バタンさせて警告を発しながら巡視にこられます。すると集まっていた人たちは、たちまち蚊帳の中へ入り息をこらして静かです。一度や二度までは先生は、そのまま知らぬ顔ですまされます。しかし試験の時などは、こんな事が何回となくくり返され、舎監の先生も堪忍の緒を切られて、「今逃げた人は出ていらっしゃい。」と怒鳴られるのです。でも、先生に怒鳴られても毎晩続きました。

と消燈後のことが書かれていた。

大正から昭和のはじめごろは、田舎では、芋だけの生活であった。それが、寄宿舎では、ご飯が食べられ「毎日が折目か、お祝い」のようであった。「折目」は、ウーユミ。「年中行事のなかで、生産休養日の〈遊び〉をともなう収穫祭や予祝行事の日」(湧上元雄「折目」『沖縄大百科事典』)で、たくさんのご馳走がならんだ。田舎で食べられないようなものが寮では口にできたのである。また、門限に遅れても、軽い注意で終わった。消灯後の警告も、罰則があるわけでもなく、生徒たちは、怒鳴られても、その翌日は同じことを繰り返していた。「寄宿舎」はまだ余裕があり、舎監の先生方もそれほど厳しくなかったのである。

厳しくなる寄宿舎生活

同じ一九二九年(昭和四)の女師卒業生宮城泰子の手記には、「学習、食事、朝礼夕礼、登校、娯楽、凡て門監さんの鐘で動き、門限制度が厳しく一分でも遅れたら一週間の謹慎を命ぜられ」たとある。山内サダは、門限に遅れたことで「一喝」されはしたものの「笑いながら許して」くれたと書いていた。宮城のそれは、山内よりあとのことに違いないが、「寄宿舎」は、少しずつかわり始めていた。それは、舎監の相違によるといっただけではなかった。厳しくなりはじめていたのは、門限に限ってのことではない。

月一度の大掃除後のおやつの今川焼やお汁粉は楽しみの一つであった。土、日曜ともなると校外のヤードイの小母さんから塀越しに細紐でつるし上げて買った薩摩芋をほほばり合った忍び業、売店であめ玉やあんパンの買い食いも又格別の味。夏季の夕食後はまだ明るい。あばれ盛りの乙女等はお腹がすくと食堂に行っておこげをせんべい代りにかじった。

一九二一年（大正一〇）入学した人の手記には「おやつも一週間に二回位支給されたので買食いもあまりしなかった。」とあった。ただし「大正十二年からは、おやつはあまりなかったが食事はよかったので栄養失調になることはなかった。」と書いていた。

一九二一年(大正一〇)前後までは週二回あったおやつが、一九二三年(大正一二)になると、あまりなかった、という。それでも「食事はよかった」のである。それが、一九二九（昭和四）になると、月一度しかないようになるのである。おやつの楽しみが少しずつ減っていったように見える。「あめ玉やあんパンの買い食い」は、おやつの楽しみを補うものであったようにも見えるが、「薩摩芋」は、少し事情が違うのではないか。生徒たちが、「おこげをせんべい代りにかじった」のは、食事の量が少なくなりはじめていたからではないかと思える。
一九二九年（昭和四）に刊行された湧上聾人編著『沖縄救済論集』（大日本文化協会）は、「大正末葉より、昭和の初葉に至る、現今の沖縄を知らんとする時、必須欠くべからざる好個の文献」ともいうべきものが収められているが、その一つ新妻莞の「琉球を訪ねて」には、「これをこそ蘇鉄地獄と名づける」といった沖縄の惨状が報告されていた。眼を覆いたくなるような新妻の報告を見ると、女師一高女の寄宿舎はまだ潤沢そのものだが、不況の影が忍び寄ってきていたことは間違いない。

食料の仕入れとおやつ

『かをり』は、一九三二年（昭和七）の『姫百合』からとったとして、寄宿舎について書かれたのを掲載しているが、そこに次のような一節がある。

今まで食物の仕入れは仲買人と炊夫にまかせきりであったのを誰かの発起で一々自分達で買入れることに決めました。制服の儘で大きなザルを二つも三つも持って堂々と市場に向いました。商人たちは生徒だからと馬鹿にして原価の倍もかけます。私共は皆地方から来たものばかりで一人だったらビクくして口さえ碌に利けない者達が団体の力にまかせて田舎訛りの多い方言でどんく値切って一斤五〇銭の肉を三十五銭で十五斤買いました。

彼女たちはそこで仲買人たちの仕入れが如何に高価であったかを知り、「一週間に一日ではあるが自分達の食べるのを買入れ」にいくことで、お金の無駄遣いをすることがなくなっただけでなく、「品物の選び方が上手」になったという。そのあと、「おやつ」について、「お金はあっても買い食いは禁じられている」とあり、「それで私共は暇の時妹達の為にオヤツをつくっています。近頃新しく名の変った円盤は型がいりますから未だつくったことがありませんけれど槍投げ、砲丸（お菓子の名）を始めドウナツ、ミツマメ、羊羹等いろいろなものをつくります。形は余りよくありませんが味だけは玄人に負けません」とある。

「私達の舎は舎監の諸先生方をお父様、お母さまとしてお慕いし、上級生を真の姉として頼み、下級生を吾が妹としていたわり乍ら今日に至ったのである」と仲本トシが「寄宿舎の喜び」で書いていたように、寄宿舎では、先生方、上級生、下級生をお父さん、お母さん、お姉さん、妹といったように呼んでいて、それは、そのままずっと続いていたのである。

「寄宿舎だより」は一九三二年発行の『姫百合』から取ったと書いているだけで、それが何年のものかわからない。『姫百合』の発行年からして、三二年からそう前の時代の在学生が書いたものではないはずで、昭和になると、買い食いもできなくなっていて、上級生は、下級生のために、「オヤツ」を作ってあげたのである。

手紙の検閲

おやつの買い食いの禁止は、寄宿生をこまらせたに違いないが、それ以上に寄宿生を困らせたことがあった。手紙の検閲である。手紙については、かつて「ラブレター事件」として知られるようなことが起こっていて、昭和期にはいって、突然厳しくなったわけではないが、ラブレターと思われるものは、徹底的に調べあげられた。

一九三二年女師卒下地竹は「手紙の検閲」と題して、次のように書いている。

寄宿舎に入舎している学生達にとって故郷から或は友人からの便り程うれしいものはなかった。厳しい規則づくめの寮生活の中でこれ等の便りはオアシスでもあった。
しかしこの手紙は時によってきびしい難関を通らなければならない時があった。検閲である。疑わしい手紙は検閲を受けて後本人に渡された。何しろ適齢期の娘ばかり何百人もいる所である。熱い便りの来ることがたまにあっても不思議ではない。ところがその当時は学生の身分で恋愛はご法度であった。それで手紙に対して先生方の眼は光った。時々呼び出されてお説教を受ける人もいた。

下地は、そのあと「一度お呼び出しを受けたことがあった」といい、自分にラブレターなどがくるはずはないので、不思議に思って舎監室にいくと、「手紙の差し出し人を知っているか」と封書を見せられ、ドキッとしたが、兄からのものであることが分かり、「先生に気をもませて見ようかなという、いたずら心も起こった」という。

下地の「手紙の検閲」から、寄宿舎に届く手紙は、舎監室を通して、生徒の手に渡ったこと、不審に思われる手紙は、舎監の先生の前で開封させられた、といったことがわかるが、そこには、思わぬことが書かれていた。下地は、手記の最後を「先生方と意志の疎通の少ないころ、検閲によってかえって親しくおはなしのきっかけのできた思い出である」と締めくくっていたのである。

確かに、検閲を通して、先生と身近に話すことができたということはあるだろうが、それはあくまでも、肉親からの手紙しかこない限られた生徒にしか言えないことであった。

寄宿舎は、なにかにつけ厳しい規則があった。それを別にすれば、四季折々、いろいろな行事があって楽しい所であった。しかし、寄宿舎内での行事以上に寮生たちが待ちかねていたのがあった。夏休みや冬休みの長期休暇である。

長期休暇の楽しみ

遠い山原から出てきて寄宿舎生活を送っている者にとっては、夏休みや冬休み等の長期休暇の帰郷がまた何よりの楽しみでした。わたし達はその時も、安里から嘉手納まで汽車に乗り、嘉手納から金武まで歩いて帰りました。屋良むるちの側を通り、細道をたどったりしながら、やっと伊波の丘の上までたどり着く頃は相当の疲労感を覚えました。然し眼下に恩納岳を眺め、その向こうに郷里金武があるのだと思うと、疲れも吹っとび心が躍りました。あと三里半（十四キロ）も歩くのですが、一歩一歩故里に近づく時の胸のときめき、自然に「懐かしき山は彼方にそびえ」の帰省の歌が口をついて出て歌の実感をかみしめたのでした。

家族のもとに帰っていくのだと思えば、少々の遠さなどほとんど問題にならなかったのである。長期休暇による帰省は、それほどに待ち遠しいものがあった。

先に何度か引いた上江洲敏子も「夏休み」の小見出しで、「消燈後直ぐ床に就く人は一人もありません。あっちの格子戸に一群、こっちの格子戸に一群、真暗で見えもしない外を覗きつゝ家に帰る話をしています。／朝起きて一度、放課後一度、夕方一度少なくとも一日三回は暦をめくっています。勉強時間に勉強する人は一人もありません。妹の洋服を縫う。弟の着物を縫う。オミヤゲの計算をする。この二三日、下級生のホームシックがとても強くなりました」と、書いている。夏休み前になると、帰省の準備で、あわただしくなっていく寮生の様子が、手にとるようにわかる。

山原の岡村トヨは、帰るとさっそく「畑仕事の手伝い」をしている。夏休みには「男女中学生による学生会（演芸会）」が開催されるといった楽しみもありはしたが、基本的には、家の手助けをするために帰ったのであり、のんびり過ごすためではなかったのである。

オストアンデルはおまんじゅう

一九三一年（昭和六）、「始めて沖縄本島の土を踏み入学と同時に寄宿舎」に入った砂川米は、そこが「此の上ない住み心地のよい所」だったという。「此所は乙女達にとっては楽しいオアシスでもあります。放課後学校から帰って来ては、読書する者、ひざを伸ばし又は肩を寄せ合って歌う者、おしゃべりし合う者等で活気にあふれ、特に土曜日の楽しさはそれはもう……あみだくじ、思い〳〵の所へ外出、外泊。上級生はよくからかい共にふざけあったものです」と書いている。砂川のそれは、いかに田舎の生活が大変だったかを逆に語るものとなっていて、胸を締め付けて来るものがある。

砂川米は一九三五年（昭和一〇）一高女卒。三一年に入学とあるところから、彼女の寄宿舎生活は、その間のことであるわけだが、そこに「思い〳〵の所へ外出、外泊。」とあるのは、にわかに信じがたい。しかし「上級生はよくからかい共にふざけあった」というのは、よく知られていることである。

寄宿舎生活の思い出として、下級生にたいする上級生たちのいたずらを書いた手記は数多く見られる。砂川は、その一つを、「英語名のお菓子 ―アイラブユー、オストアンデル（押すと餡出る）」で、次のように書いていた。

ＡＢＣを習い覚える頃だったと思います。ある日の放課後上級生が「米ちゃんちょっと。」と手招きして「勉強堂でお菓子を買って来てくれない？　お友達と。」「お菓子！　うれしい行って来ます。」「お菓子の名はアイラブユー、若しなかったら、オストアンデル。」と言われた通りを勉強堂まで口の中で二つの菓子名をくり返し覚えながら行き、これ〳〵のお菓子を下さいと言うと、ここのお姉さんは、注文しないと今はないよとの返事、戻って報告すると、残念ね！　とっても美味しいのよとすました顔とくす〳〵顔。勉強堂のお姉さんも新入生のホヤホヤと見てよく心得たものです。（中略）

アイラブユーはよく利用されました。舎監室に入ったら先生にアイラブユーとあいさつするのと教えたり、毎年一人か二人白羽の矢を受ける者が出ました。

砂川が卒業した一九三五年（昭和一〇）から三年後の三八年（昭和一三）に二部を卒業した潮平ツルも、「チャメッ気たっぷりの思い出の一つを書こう」として、砂川と同じことを書いているが、潮平のそれは、次のようになっていた。

◎アイラブユー

上級生「舎監の先生に挨拶しておいで。寮ではアイラブユーと挨拶するのよ」

一年生「はい」と素直に舎監室へと向かった。

困ったのは上級生。うしろからついて行って舎監室の障子に手をかけようとしている一年生を連れ戻した。

◎ラブレター

室の者皆でたしか一銭ずつだったかと思うが銭を出し合って一年生に「ラブレター」買いに行かした。勉強堂のオカミサンも心得たもの。幾種類かのアメ玉を雑多に入れて持たしてあった。

砂川と潮平の回想は、多少違うとはいえ、基本的には同じようなものであり、そのお使いや挨拶体験は、あの制服の「お清め式」とは異なる寄宿生の一種のイニシエーションとして、行われていたといえよう。

教員赤化事件

砂川は、「英語名のお菓子」のあとで、「ウムー（芋やーい）」として、芋の買出しの新しい方法とでもいった買い方や、舎監の先生方について触れ、寄宿舎の思い出を閉じていくが、その前に「とも角寄宿舎の生活は裏話も多く、夢多き乙女達に心の花を豊かに咲かせてくれました。昭和十年、日支事変の戦雲危い頃に私達は卒業して学園から四方に散って行きました」と書いていた。どんな「裏話」があったのか、気になるところだが、年頃の生徒たちの「裏話」ということになれば、厳しく監視された「ラブレター」に関するような話や教師の噂話、あるいはあだ名に関してのものなどであったのではなかろうか。

砂川が入学して卒業していった頃の社会状況について記した回想に山元芙美子の「在学中の思い出と社会的背景」がある。山元は一九三一年（昭和六）、砂川と同じ年に女師一部に入学し、一九三六年（昭和一一）に卒業している。一九三一年の「採用人員は十五人」、これまで、三〇人だったのが、その半分になり、「史上初めての厳しい採用であった」という。それは一九二八、二九年（昭和三、四）頃から始まった「教員過剰」によるもので、一九三一年は「女子一部の入試は見送られるのではないかというわさまででていた」という。この制度は、三、四年続いたのではないかというが、「昭和五年頃からは、世界経済恐慌のあおりを受けた日本は、失業者が続出するという最悪のじきだったようで、なかでも、全国一の貧乏県であった沖縄県がもっともひどく、教育財政もきびしかったようである」と山元はいい、「官費」の給与に触れ、それが手にはいるとソバや今川焼、餡餅などを買って食べるといったちょっとした「冒険」をしたという。そして「私たちが学園生活を楽しんでいた間にも、社会ではいろいろの問題がおこっていた」といい、次のように書いていた。

風雲急をつげる満州事変が昭和七（六――引用者注）年勃発、私たちも出征兵士に慰問文を書いたり、慰問品を送るなどさせられた。また巷は、中城湾寄港の海兵たちの姿をみうけるようになり、男子中学生の軍事演習も活発化していたようである。そして私たち女子学生も射撃の練習をしたこともある。この頃には、すでに大東亜戦争への口火が切られていたのであろう。

昭和七年五月十五日の未明、時の総理大臣犬養毅の陸軍士官等による射撃事件は、全国民を震かんさせた大事件で、今でも記憶に新しい。

また、昭和の初期頃から社会主義運動の地下活動が頻発していたらしく、特に教員にこの運動する者が多かったらしく、教員の卵である私たちは、このような危険な思想に巻き込まれないよう絶えず注意された。

話によると、私たちの先輩が、赤い思想の本を知人から預かり持っていたというだけで退学になったとのうわさもあったが真偽のほどはわからない。

特に、公民の時間には「君たちは、大切な天皇陛下の赤子である日本帝国の子どもたちを教育する重大な責任があるから、絶対に共産主義思想にかぶれてはならない」と力説された。今から考えると、世にいう教員赤化時代というものであったらしい。

眞栄田義見は「沖縄における教員赤化事件」について触れ、沖縄県では「長野県についで、全国二位の多数が検挙」（「沖縄教育概説」『沖縄県史　第4巻　各論編3教育』琉球政府）されたという。長野県の「教員赤化事件」については、「長野県小学校教員赤化事件概況」（内務省警保局保安課『特高月報』昭和八年四月）にくわしい。「概況」は、一九三三年二月四日、長野県下において「極左共産主義運動関係者の検挙に着手し、目下取り調べ中」であるとし、一九二九、三〇年頃から三一年、三二年、三三年一月までの教職員の動向を追っているが、三一年八月「神田区駿河台文化学院」で開催された講習会の翌日、本郷での座談会に誘われ参加したもののなかに「沖縄二名」もいて、「全協教労部及研究所の組織並ニ其ノ交互関係」等の説明を受けている、とある。

「沖縄二名」の動向は不明だが、「教員赤化事件」として取り上げられた事件に、沖縄からも参加していた者がいたのである。

オイル（OIL）事件

社会不安がたかまるなかで、革新運動に対する弾圧も激しくなっていくが、沖縄での弾圧事件の代表的な例として、「沖縄県大宜味村村政革新同盟事件」「沖縄県小学校教員社会科学研究会事件」「オイル（OIL）事件」の三つがあげられるという（「弾圧下の社会主義」『沖縄の百年 第三巻—歴史編 沖縄近代の歩み 下』太平出版）。

「沖縄県大宜味村村政革新同盟事件」は、一九三一年九月、「村費の膨張」などを不満とし、「大挙して村役所に押寄せ、村長に面会を求め」辞職を要求した事件、「沖縄県小学校教員社会科学研究会事件」は、一九二五年頃から一九二九年ころまでの「沖縄青年同盟」の、小学校訓導への積極的な社会科学研究会への勧誘とその拡がりに対する弾圧、そして「オイル（OIL）事件」は、「一九三一年（昭和六）二月、沖縄教育労働者組合が弾圧された事件。OILは沖縄教育労働者組合をエスペラントに訳したOKINAWA INSTRUIS

TO LABORISTOの頭文字をとって略称したもの。全国的な教員組合運動の一環として組織されたものであるが、中央組織とのつながりを持たないうちに弾圧された」（安仁屋政昭「OIL事件」『沖縄大百科事典』）という。

時代は、暗い谷間に向って、一歩一歩、歩を進めていたのである。寄宿生たちは、しかしまだ明るい。新入生たちを戸惑わせたり、感心させたりして笑いに溢れていた寄宿舎は、通学時の天気や遅刻の心配もなく「廊下伝い」に教室へ行けた。外に出る必要はなかったのである。そのためか、寄宿生の回想に、寄宿舎の周囲に広がっていた景色について言及したのはあまりない。そのなかで異色だと思えるのが、一九三一年（昭和六）入学で一九三五年（昭和一〇）卒業した平良とよ子の回想である。

寄宿舎からの眺め

平良は宮古の出身で「当然、寄宿舎に」入っているが、「寄宿舎は三棟並んでいて、その南の棟の一番端の第十五室が、一年生時代の私の部屋でした」といい、次のように書いていた。

すぐ前に塀があり、外はキビ畑でした。

三棟の寮と、学校の運動場とは、申しわけ程の低いセメン塀がありその外に紫色のさわやかに匂うセンダンの木が二本。生理日で体操を休む生徒はそのセンダンの木の下で見学したことを覚えています。

運動場は広く、視野の向こうには遠く首里の岡がかすみ、学校管轄の農園の向こうに、トマト畑や射的場があったことを覚えています。

運動場には、バスケットのコートがありました。寄宿舎生活の中の、何年生の時だったかは忘れましたが、その運動場一ぱいに、女師一高女全校生徒が、カールスタートを踊ったことを覚えています。

塀の外のキビ畑、センダンの木。遠くにかすんで見える首里の岡。農園。トマト畑に射的場。バスケット・コートがあって、カールスタートを踊った運動場。平良は、寄宿舎の外に広がる実景を写しとっただけだろうが、それは、平良によって選び取られた光景であり、その光、香りが心にしみこんでいて、忘れ難いものであったにちがいない。例えば、センダンの木の下。「あの頃の乙女達ははずかしいのでそれを·ｉｎｇ（アイエンジー）といっていた」と一九三八年に入学した比嘉しげが書いているような事態への対処、時に運動嫌いな生徒の隠れ蓑ともなったりした「ｉｎｇ（アイエンジー）」、まさに青春まっさかりのいとしいばかりの景色の一つである。

平良は、寄宿舎の外に広がっていた景色を描き出したあと、再度寄宿舎にもどって、

寄宿舎は、女師一高女生を組み合せて一室十二名が限度でした。当番があって、上級生のお姉様たちは、食事のメニュー表を作り、それによって買出しをしました。専属の炊事の小父さん夫婦が、食堂の隣の別棟に住んでいました。食堂のテーブルは、部屋の番号順に並び、食事の時は賑やかでした。

朝食には舎監の先生もテーブルにお着きになります。

一度、チブスが流行ったことがあります。

その時の舎監の先生方の心づかいは大変なものでした。食器は、食事の後必ず熱湯消毒をするのです。十五室もある生徒達の食器の始末は大変なことでしたでしょう。幸いに一人の罹病者もなくすみました。

平良の回想から寄宿舎が女師、一高女別々の部屋分けではなく「組み合わせ」になっていたこと、メニューの作成、買出しが当番制になっていたこと、部屋順に食堂のテーブルが並んでいたことなどがわかる。また、「チブス」が流行って、万全の防禦対策がとられた、といったこともわかる。

チフスの流行

稲福盛輝によれば、「昭和期になって各地に蔓延を極めたコレラ、痘瘡等は激減の傾向がみられたが、腸チフスの流行は相変わらず毎年流行し、むしろ増加の傾向さえみられた」という。そして、チフスの「流行状況」について、「昭和八年（一九三三）から急増の傾向が見られ、昭和一二年（一九三七）は沖縄免疫史上の大流行をみた」といい、その間の罹患率を地域別にみていくと、那覇市が最も多かったという。

一九三九年（昭和一四）には、「予防心得」が発表されているが、それをみると

1、食事をとる前に必ず手を洗いましょう。
1、飲食物には蠅のつかぬように覆いましょう。

1、生物、生水の飲食は慎みましょう。
1、寝汗を慎んで感冒にかからないようにしましょう。
1、井戸は「カルキ」で消毒しましょう。
1、家の内外は常に清掃し蠅を駆除しましょう。
1、食器は煮沸、寝具は日光消毒しましょう。予防注射をうけましょう。
1、熱のあるときは早く医者にみてもらいましょう。
1、患者のいる家には成可往来せぬようにしましょう。
1、患者のいる家では飲食せぬようにしましょう。
1、便所や下水には石灰を入れて病原をなくしましょう。

といったように一二項にわたる細かい注意がなされている。

　平良は、その中の一つ「熱湯消毒」をしていたことに触れ、「十五室もある生徒達の食器の始末は大変なこと」だったのではないかと書いていた。

　平良は、腸チフスの予防に万全をきしたことで寄宿舎では罹患した者はいなかったと書いたあと、夕食後のひととき「広い運動場の奥の、花壇の中から、時ならぬ合唱の声がきこえたり」したこと、先輩から「首里の岡のイネン火」等の怪談を聞かされ、実際に見たような気がしたといったことを思いだしたりしながら、さらに寄宿舎から見える学校施設に及び「日曜日の講堂から流れてくるピアノの音」に包まれて「楽しい時間」をすごし、「それは幸福な時代だったと思うのです」と書いていた。

平良が回想しているように、一九三一年入学し、一九三五年に卒業した者たちが過ごした寄宿舎は、まだ和やかで、やさしい歌声やピアノの音に包まれていた「幸福な時代」だったといっていいだろう。

V、しのびよる軍国化

寄宿舎の窓辺にて（1941 年頃）

「学園回想」から

『ひめゆり』は、その第一部を「ひめゆりの生い立ち―女師一高女・創設から終焉まで―」、第二部に「学園回想」、第三部を「同窓会沿革」と三部に分け、さらにそれぞれの部ごとに細かく関連事項をとりあげて構成していた。

その中で「寄宿舎」について見て行くのに都合がいいのは、第二部の「学園回想」である。それは「一教育にかけた青春―職員―」「二学び舎の日々―女師・高女」からなり、その二をさらに細かく「㈠大正から昭和初めまで」「㈡昭和十年ごろまで」「㈢昭和十六年ごろまで」「㈣昭和二十年まで」「㈤ひめゆり学徒隊」と、年代ごとにわけていて、寄宿舎の変化もよくわかるものとなっていた。

一九三五年ごろまでの寄宿舎については、一九三七年（昭和一二）一月に刊行された『かをり』でわかるが、それ以後については『ひめゆり』の「㈢」に拠らなければならない。

『ひめゆり』は、一九三八年（昭和一三）女師二部を卒業した一一名の手記を「寄せ書き昭和十三会」の思い出として収録している。その最初に「昭和十一年から新しい校則ができ、女子師範の一年生は全員入寮ということになった」と書いていた。その中の一人中山清子も「師範学校の生徒は、最低一年寮生活をさせられました」と書いていて、入寮当時、ホームシックになったこと、「大きな蚊帳を畳むのに、苦労したこと」、集団生活は厳しかったこと、夜遅くまで、友達と語り合って楽しかったといった、寮での日常を振り返ったあと、「薙刀の練習、行軍、分列式、勤労奉仕、出征兵士の御見送り、無言の英霊の悲しい出迎え、朝礼の時によく歌った『海行かば』の歌……等々」慌ただしくなっていった周囲と同調し「八紘一宇のスローガンのもとに、神国日本の必勝を確信して」いた当時を回想していた。

時代はまさに、中山が書いているように、戦時の様相を呈していたであろうが、寮での日々といえば「寮費七円しか出さないのに週二回もオヤツがあった。小袋に入った雑多のお菓子のオヤツが楽しみだった」（比嘉安子）というように、まだオヤツについての話題が見られた。そして、そのオヤツに限って言えば、大正末から昭和初年にかけてのころより、幾分よくなっていたように見えないこともない。

しかし、夜中お腹がすいて、食堂に行って、オヒツをひっくりかえしても冷飯一粒もなかった（平敷律子）というのを見ると、オヤツはともかく主食はどうなっていたのだろうかと思わざるを得ない。

当時の寮の日常については、武富ハルの回想を上げるのが手っ取り早いだろう。

いよいよ寮生活。それはメリットが多かった。◎それぞれの郷里の話。食べ物、暮らしの事等いろいろ教えられた。◎日課に勉強時間が組まれていて、勉強好きでない私でも零点をとらずにすんだ。◎通学距離の短縮。首里からの坂道、夏の炎天下、雨の日の通学、遅刻の心配、ところがここではそれらのものの心配全く無しの廊下伝いの通学。◎食事がおいしかった。家では父の勤めの関係で祖母に育てられ、野菜中心のチャンプルー、ンブシーのンーメー料理の粗食だった。寮では和洋琉のバラエティに富んだ御馳走だった。おかげで見違える程デブに変身。しかしその中でとろろ汁だけはまずかった。

武富は、寮の食事は和洋琉と変化に富んでいておいしかったという。「ンーメー料理」というのは、祖母の作った料理というほどの意で、沖縄の一般的な家庭料理をさし、極めて片寄ったものであったということであろう。それに比べて寮の食事は「ンーメー料理」だけでなく和食あり、洋食ありで栄養価も充分に考慮されていておいしく、体重も増えたというのである。

同時期寮にいた外間小夜も、「独特のメニューがあり、中でもオムレツのおいしかった事は忘れられません」と書いていた。外間はまた「食卓を囲んで向かい合い、ほかほかの麦飯と熱い味噌汁を配膳し」とも書いていて、洋食に心を奪われているが、通常の飯は白米から麦に変っていたようにみえる。

八幡様への戦勝祈願

一九三八年に卒業した師範二部卒の残した「よせがき」にはそのように、寮の生活を回想した会話が見られたが、では、同時期、在学していた寮生たちは、どんなことを書いていたのだろうか。

九時半、遥かに那覇のサイレンが聞えて、自習終りの鐘が響き渡ると、堰を切ったやうに明るい笑顔が溢れ出て、全寮は海の底のやうな静けさから解放される。
息を潜めて待って居たかと思はれるやうな元気な声が、「国を発つ日の万歳に……」と中寮から起って来るかと思うと、仲のよいコーラスが「見よ東海の……」と他寮から押し寄せて来る。実に寮の消燈前こそは、値一刻千金の楽しい一時である。

『白百合』は、一九三八年「時局特集」号を刊行していた。右の文章は、同号の「銃後文苑」

欄に収録されている春成キミノの「寄宿舎の此の頃」の書き出しである。

そこには寄宿舎が、軍歌に覆われていく様子が書かれていた。春成は、その後「夕礼点呼」、「皇軍将士への感謝の黙祷」、朝起きると「戦地への遥拝」そして「黒髪献納」、「慰問袋発送」、「古釘、絵具や歯磨のチューブ、ペン先、空缶」などの収集、「恤兵金」の献納などについて触れ、また早朝の「八幡様への戦勝祈願」をはじめてから半年になるとも書いていた。

八幡様（安里八幡宮）へのお詣りについて書いたのでは、次のようなのがあった。


松風のさわやかにそよぐ安里ケ原の姫百合学寮では、銃後の守りを固めるため学寮揃って八幡様お詣りを始めている。南国の爽やかな朝風に乙女の黒髪なびかせしづ〳〵と二列縦隊になって朝露を踏みくだきながら杜の小路を辿る。足取りも軽くて乙女等の眼は輝いている。こんもりと茂った杜の中に厳かに神鎮まります八幡様にぬかづき、皇軍の勇士の武運長久を祈り、感謝の黙祷を捧げる。梢もゆれず静寂にかえった神域の清浄な空気は、私共の心を清め只魂のみが動いているようである。この頃は朝の仕事が済むと八幡様へのお詣りをするのが何よりの楽しみとなった。

与那嶺弘の「八幡様お詣り」と題された文章の前半部分であるが、寮生は、そのように「八幡様への戦勝祈願」を行うようになっていて、それが「何よりの楽しみとなった」というのである。

春成の先の文章は、「八幡様への戦勝祈願」から、南京攻略戦や北満の守備にあたっている学友のお兄様たちの話に転じていく。

学友のお兄さんたちの出征については、長田千代の「戦地の兄さんへ」、与那覇ヨシの「蒙古の嵐に立つ兄へ」、森山鉄子の「北支の兄へ」などが収録されているが、長田千代の「戦地の兄さんへ」は、北支で戦っている兄への手紙の形をとったもので、そこには次のようなことが書かれていた。

此の頃町の辻々には戦場の写真や、新聞を貼り、それに目を寄せないで通り過ぎる人は文字の分らない人だけです。何処を通っても軍歌を歌うのが聞えます。学校に出ない小さい子供達も「天に代りて」と一生懸命歌って居ます。又学校でも兵隊さんの御苦しみの万分の一でもと時々日ノ丸弁当を戴きます。寄宿舎でも皆が新聞を見、ラジオを聞き他のお話を聞いて緊張しています。先日は真心をこめて慰問袋をつくり皇軍の皆様へと司令部へ差し上げました。石家荘、太原陥落の時は那覇市、首里市全市民こぞって提灯行列、各小学中学生は旗行列を致し、そして戦死者の方に対して感謝の念を捧げ又皇軍の武運長久をお祈り致しました。

石家荘陥落の時はどんなに奮戦なさった事で御座いましょう。そして今頃は何処の戦線に出ていらっしゃいますでしょうか。

三野正洋著『わかりやすい日中戦争』（光人社）によれば「日本軍は（一九三七年―引用者）九月四日から河北省中部にいた中国軍の撃滅を目指し、京漢鉄道（北京―漢口）に沿って進撃する。主力は第一軍（第六、第十四、第二〇師団の一部）であり、九月二十四日、最初の目的地である保定を占領。一〇月一〇日には第二の目的地である石家荘も占領」したという。

提灯行列

長田は「石家荘、太原陥落の時は那覇市、首里市全市民こぞって提灯行列、各小学中学生は旗行列」をしたという。提灯行列は「三七年一〇月下旬、上海戦線の戦闘が有利になったのを契機におこなわれはじめ、一一月の太原、一二月の南京、三八年一月の青島、五月の厦門・徐州、一〇月の広東・武漢三鎮の占領というようにあいついで催され上述（帝国在郷軍人会・海軍協会などの軍人団体、国体擁護連合会・時局協議会などの「観念」右翼系団体、愛国婦人会などの婦人団体、壮年団中央協会や大日本連合青年団などの青壮年団体、全国神職会・仏教連合会その他の教化団体―引用者注）の団体や中小学生が動員された」（歴史学研究会編『太平洋戦争史Ⅱ一九三七～一九四〇』青木書店）というように、全国的な動向と軌を一にしてなされたものであったことがわかる。

中国での戦闘に出征していった学友の兄たちがいたことで、「提灯行列」はいよいよ熱狂的なものになっていったに違いない。寄宿舎をはじめ学園が、戦時色を強めていきつつあったことがこれらの文章から明らかだが、それは『白百合』一二号が、「時局特集」になっていたことと関係している。

「校友会誌特集号の編纂」の項を見ると、そこに「支那事変を中心とした非常時色、昭和十二年度に於ける我校の雰囲気を後々までも残したいとの企画の下に、学校に於ける施設経営の概要、職員生徒等の感想文、又は学校生徒と縁故のある方の事変に関する書信等を集めて一冊とし、之を時局特集号として編纂したのが即ちこの冊子である」とあるように、事変と関りのある感想文や書簡が集められていた。寄宿舎にいた生徒たちの文章も、必然的に事変と関わりのあるものとなっていったのである。

日中戦争以後

一九三七年（昭和一二）に勃発した日中戦争が、寄宿舎の雰囲気を大きくかえていったことは間違いない。

一九三九年（昭和一四）女子一部卒の島袋はる子は「あの頃の思い出」として、次のように書いている。

私たちの在学中は、日支事変の最中で、度々慰問袋をつくった。鰹節を鉈でサイコロ状に切ったのを油紙に包んだり、黒砂糖や千人針、その他手作りの人形等を入れた。慰問袋を詰める段階では、戦争は遥か空の彼方の出来事で悲哀感等少しもなかった。散兵戦の華々しさを想像し、若いつわ者どもが銃を持って進んで行く姿は、乙女心を感激さすに充分で、心に描く場面は一幅の名画であった。

同じく一九四〇年（昭和一五）一高女卒の渡口文子も「思い出」で、「私たちが卒業した昭和十五年は、日本が国を挙げて喜び勇んでいた頃でした。『皇紀二千六百年』という節目を迎えようとしていたのです。歌に踊りに日本中が希望に燃えたっていたのですが、一方満州では灰色の雲がくすぶりはじめ、世はピンクとグレーが入り混じっていたような時代でした。でも女学生たちは自分たちの環境に満足していました。」といい、先生方の影響を受け文学に心を惹かれて行ったことを記した後、次のように書いていた。

満州でのくすぶりは晴れることなく、日華事変に入ってしまいました。乙女たちの父兄、叔父、いとこ達と身近な人々が勇んで島を出ていく一方、校庭からも若い先生方が赴任していくらも経たないうちに応召されていかれました。街頭でも校庭でも千人針を縫うことが多くなり、慰問袋の中みや便りが話題になりましたが、まださほど深刻さはなく、笑顔で千人針を刺していました。冬の寒い満州や北支からのニュースは、喜びの中に悲しみの混じることが多くなっても、私達の校庭では四季の行事が平穏に繰り返されていました。

渡口はさらに語をついで、「新しい第三ラジオ体操（国民体操）」が発表されたこと、先生や級友の行っていた練習が印象的であったことを記していた。

モンペ着用

渡口の手記には、同時期の生徒たちの唯一の抵抗ともいえるような出来事も記されていた。モンペに関することである。モンペの着用をめぐって、生徒たちはブルーマーがいいと反対運動をしたというのである。渡口はそれを〝デモ〟だったという。やがてモンペが日常着になっていくように「校外の社会は日々変化して、いろいろなものが統制されつゝあった」のだが、そのような反対ができたのも「校内ではまだ特別に変化を感じていなかった」からだという。

一九四一年（昭和一六）女師一部を卒業した玉城キヨは、二・二六事件の起こった一九三六年（昭和一一）に入学し、卒業したのは米英との戦争が勃発した一九四一年で「学校生活の五年間はまさに国策教育そのものだった」と思うといい、「モンペをはいての勤労奉仕作業、出征兵士の見送り、早朝の那覇港での白木の箱の出迎え等、非常時ということばを実感した」という。わずか、一年の差であるが、モンペの着用反対運動など吹き飛んで常用となり、モンペで勤労奉仕作業に出るようになっていき、変化が実感できるような時代になっていたのである。

『ひめゆり』は、「『モンペ』が登場してくるのは『国家総動員法』が公布された昭和十三年ころからである」といい、「モンペ」は、「厚生省により、戦時下の『女子防空服』として奨励されたもので」、女師では「当初、作業着として、清掃や、勤労奉仕作業時に、頭をつつむ白の三角巾とともに、着用された」と書いていた。

Ⅵ、太平洋戦争への道

寄宿舎にて（1942年）

同級生座談会

『ひめゆり』は、「(四) 昭和二十年まで」の項を、一九四二年(昭和一七)女師一部卒の「同級生座談会」から始めている。

一九四二年女師一部卒は、一九三七年(昭和一二)四月に入学した組で、「県下津々浦々から集まった二十一人であった」という。「座談会」は、いろいろな出来事が話題に上っているが、その一つに「全寮制」があった。

(T2) 私たちは、全寮制であった。一年間は全員寮生活をするのである。はじめて親元を離れて暮らす寂しさと不安は、やがて集団生活の友情・協力・規律に昇華し、教師の卵として寄宿舎という孵化室に入れられたことはたいへんよかったと思う。

(M) 毎日の芋生活から脱出して、寄宿舎の一週間の献立表を見るだけで楽しかった。初めて食べるカレーライス、コロッケの味は今も忘れられない。師範学校に入った新鮮な驚きであったかもしれぬ。

寄宿舎は、教師になる者たちのための「孵化室」であったと「(T2)」は言う。寄宿舎についての大事な規定ともいえる一つである。女師はいうまでもなく一高女の生徒たちの多くがこの「孵化室」で育っていったのである。そしてそこは、郷里では味わえなかった食べ物があった。寄宿舎の食事が、家での食事より数段おいしかったというのは、寮に入った生徒たちの誰もが口にしているが、食べ盛りの生徒たちにとっては量が不足がちであったこともまた、多くの寮生が口にしていることである。そこで工夫をこらして食べ物を手に入れていたのはこれまで見て来たとおりである。

「全寮制」のあと「波之上祭」に話がうつり、

（S）五月十七日の波之上祭は、学校生活のリズムとして思い出深い。

新入生の制服は家政科の生徒が仕立ててくれた。スカート丈は床上三十センチ、ヒダの数左右四つずつと、きちっと決って寸分の違いもない。制服を着て千人近い全校生徒が隊伍を組み学校を出発して波之上宮に参拝し、その後は自由解散となる。

（Y）救護連盟の厳しい監視があって平素は夜間外出はもちろん映画館や食堂に入ることも許されない。波之上祭の日だけは自由に羽ばたけるとあって、早速食堂へ。アイスクリーム、ミルクセーキ、天丼と聞いたことのない珍しいメニューに目を通すが結局は十五銭のそばでひきあげる。

思い出深い波之上祭

女師・一高女卒業生の残した回想で、多く見られるものを順に上げるとすれば、「波之上祭」は、その上位を占めるに違いない。彼女たちにとって、とりわけ寄宿生にとっては忘れることの出来ない行事であった。

やはり一九三七年に入学し、一九四三年（昭和一八）に女師二部を卒業した名嘉座富士子に「追想―非常時の寄宿舎生活」がある。名嘉座は、まず一九三七年一高女に入学し、そのあと師範二部に進学、入学した年に「支那事変」が起こり、そして在学中に「太平洋戦争」が勃発するといった「非常時の真っ只中」を寄宿舎で送ったと始め、入舎当時から上級生になって「古狸」と呼ばれるようになるまで寄宿舎の生活を「エンジョイ」したが、陸上競技や球技大会などがあると、部屋では姉妹のように中の良いものも、師範と一高女に分れて応援し、「愛校心からでた感情的なトラブルが起ったりも」したといったことを書いたあと、筆を転じ当時は、どの学校の生徒も点燈後の外出は禁止され、救護連盟の先生方が厳しく取り締まっておられました。寄宿舎では、波之上の前夜祭だけ夜間外出が許されました。但し外食は禁止でした。お祭気分のせいもあって、食べて見たい、スリルも味わいたいという日頃のひそかな願望は抑え難く、つい先生の目を盗んで、揃って食堂に入りました。他の部屋の人達もまた大勢いましたが、その時飲んだミルクセーキが、まさか中毒事件をひきおこすもとになろうとは、夢にも思いませんでした。

と、書いていた。

回想の多くに波之上祭が出て来るのは、制服の着初めと結びつき、これではじめて女師、一高女の生徒になったと実感できたことや祭りの華やかさに心が浮き立ったといったことがあったからであろう。とりわけ、一九三七年頃入学した寮生たちにとって忘れ難いものになったのは、「聞いたことのない珍しいメニュー」であったミルクセーキを食べたことで起きた食あたりが、夢にも思わぬ大きな悲劇を引きおこしたことによるであろう。

ミルクセーキ事件の顛末

『大阪朝日新聞』が「沖縄の第一高女寄宿舎生中毒　六名中一名死亡」の見出しで報じたのは、一九四〇年（昭和一五）五月二一日である。記事は、

去る十六日夕□沖縄県立第一高等女学校寄宿生十数名が折柄の波上宮例祭宵宮祭に同宮へ参拝がてら那覇市内丸山号デパート食堂でミルクセーキを食べた直後そのうちの六名が俄に腹痛を訴え大騒ぎとなり帰校後いろ〳〵手当を加えたが、うち同校四年生漢那たみ子さん（十七歳）は十八日夜遂に絶命した。県衛生課では千原医師が死体検視に赴く一方那覇署で関係者を取調べているが他の五名は経過良好の模様で千原医師は左のごとく語る

食餌性中毒症状であることは確かであるが、同人らは当日□□か数時間の間にうどん、すし、ミツ豆、ミルクセーキといろいろ食べているから果して何が原因となっているかいまのところはっきりしたことはいえない（□は不明箇所）

と、報じていた。

寄宿生の中毒・死亡事件について、現地の新聞記事ではなく『大阪朝日新聞』の記事を

使用したのは、現地の新聞の保存がないからである。もし、当時発行されていた当地の新聞が見つかれば、そこには間違いなくその件について大々的に扱っている記事が見当たるはずである。

検視にあたった千原医師は、中毒の原因が何にあったかはっきりしない、と語っているにも関わらず、回想の多くがミルクセーキ事件としているのは、地元の新聞が、そう伝えていたためではないかと思われる。そしてそれは「聞いたことのない珍しいメニュー」であったこととも関係しているであろう。

救護連盟の取締りが、以後さらに厳しくなっていったことは間違いないが、そのことよりも、華やかな日が一転して暗くなってしまったことに、耐え難いものがあったのではないかと思われる。

名嘉座は、「中毒事件」に続けて、史跡見学に参加し、門限に遅れたため、引率した先生が舎監の先生におわびしたが、許してもらえず「一ケ月の外出禁止」となったこと、一九四一年（昭和一六）から、「新しい制度により、その年入学した師範生全員に毎月二十五円ずつ、国から奨学金として、支給されるようになり、実質的な官費生」になったこと、十二月八日、授業中に「真珠湾攻撃」という声を耳にして、「思わず全員が歓声を」

あげたといったことを書いた後、

　戦争が長びくにつれ、銃後の国民生活は、じりじりと窮乏に追い込まれ、米の配給制、衣料切符制と、追いうちをかけられ、寄宿舎でも先ず金曜日の大掃除のあとに、楽しみの一つだったおやつがなくなりました。芋ご飯に時たまお雑炊と、配給米のやりくりは大変でした。日の丸弁当、素足に運動靴、アダンバ草履の上履きなど、物資の不足でつぎつぎと不自由な生活に耐えて行かねばならなくなりました。しかし、勝利を信じきっていましたし、若さのせいもあって、それほど緊迫感はなく、のんびりムードはまだ残されていました。

名嘉座は、そのように逼迫していく状況のなかで、寄宿舎の生活も倹約を第一とするようになったといい、さらに続けて、運動会の演目も優雅なダンスから「愛国行進曲のダンス」に代ったこと、実射訓練や十七里行軍が行われるようになったこと、そして寄宿舎では毎月八日の大詔奉戴日に「暁天動員」が行われるようになったこと、修学旅行が取りやめになったこと、防空訓練、消火訓練が何度も行われたといったことを書いていた。

戦争色に染まっていく学園

『ひめゆり学園』（ひめゆり平和祈念資料館資料集２）を見ると、「師範の生徒には国から官費が支給され（昭和十五年入学者までは月五円、昭和十八年の師範教育令改正後は、月十二円五〇銭）、昭和一六年入学者以降は月二十五円」になり、「官費の中から本土への修学旅行費用五円が月々積み立てられ」たが、「戦争のため、昭和十六年から旅行は」できなくなっていたとある。

日の丸弁当や、非常時訓練等については、「日華事変」が起った一九三七年から、すでに実行されていたことで、『白百合』第一二号「時局特集」の「時局雑感―非常時下に於ける我校の施設経営」にそれはよく現れていた。

「時局雑感」は、「第一　時局を認識せしむる事項」（一～八）「第二　銃後の護として実行しつゝある事項」（九～十三）「第三　時局に対し精神的訓練を目的としつゝある事項」（十四～十九）「第四　祝賀行列と特別号の編集」（二〇～二二）からなっていて、例えば「第二」には「九諸種の献金」「十千人針、慰問文、慰問袋の作製贈呈」「十一廃品の蒐集献納」「十二応召者の見送、戦死者遺骨の出迎」「十三応召者家族の慰問、祈願祭への参列」といった項目があげられていて、それぞれに細かい説明がなされている。その項目(十三)には「寄宿舎に於ては毎月一日、十五日に安里の八幡宮に早朝参詣し其他の朝は皇居遥拝についで戦地に向って礼拝の誠を致し、夜就寝前には各室で感謝の黙祷を自発的に実行している」とあり、「十六」に「日の丸弁当」があり、「つとめて中食の副食物を簡素ならしめる様にし、時に日を定めて全校一斉に日の丸弁当(梅干弁当)を用いて戦場の将士の労苦を偲ぶ様にしている。これ迄二回之を実行した」とある。

一九三七年入学した名嘉座たちの日常は、まさしく「時局雑感―非常時下に於ける我校の施設経営」にうたわれている二二項目が実施されていた時期にあたっていたのである。寄宿舎では、オヤツがなくなり、配給米のやりくりに苦労し、時に「日の丸弁当」で、戦地の兵士を偲び、早朝遥拝、戦時訓練が行われるようになっているが、まだ「のんびりムード」は残っていたというのである。

名嘉座と同じく、一九四二年(昭和一七)第一高女を卒業し、二部に進んだ大見謝純子も、戦時色の濃くなっていく学園の様子を書いているが、そこには名嘉座が書いてないことがあった。

英語も必須科目から選択科目になっていた。言葉の面でも、外来語は敵国の言葉だという事で、既に日本語に溶けこんでいる言葉でも直して使うようにという事があった。例えばスポーツ用語のドッジボールは逃避球、バスケットボールは籠球、バレーボールは排球……というように。そうなるとポケットは物入れ、バケツは水缶、フライパンは？……などと憤慨して言い合った記憶がある。

大見謝はさらに「二年生に上がった時、一部と二部が合併されて新制師範女子部本科と呼ばれるようになった。制服もセーラー襟から朝鮮服のような着物衿に変わった。家庭科の学習として各自で仕立てて着けたが、余り格好のいいものではなく、いつもぶつぶつ言いながら着けていた」といい、そして「わたし達の周辺では、ルーズベルトやチャーチル等の敵国の首相の似顔絵をはりつけたわら人形を竹の槍で突いたりする竹槍訓練も行われていた。『鬼畜米英』『八紘一宇』『撃ちてし止まん』等の合言葉を高らかに唱えながら……」といったことを書いていた。

真珠湾攻撃が国民を沸き立たせたことは、よく知られていることである。女師・一高女の寄宿生たちもその例外ではなかったが、生徒たちはどう反応し学校はどう対応したか、もう少し見てみたい。

真珠湾攻撃、そして開戦

名嘉座は、「十二月八日四時間目の授業中」に「真珠湾攻撃」と「窓から叫ばれた照屋先生のお声を突然耳にしたとき、思わず全員が歓声をあげました」と書いていた。「同級生座談会」には、「十二月八日いよいよ大東亜戦争に突入、時ならぬけたたましいサイレンの音で全校生徒が講堂に集まり、沈痛な面持ちで校長の談話を聞いた」とある。ニュースを聞いて、「歓声」をあげたものがいた一方、「沈痛な面持ち」で校長談話を聞いたのもいたのである。

木村明子の「一生徒の日記より」の十二月八日には、「日米開戦。朝登校すると級友の、Oさんが、朝宣戦布告をラジオで聞いたと言うが一向にその気配がない。お昼前の清掃の時間衛生室の床を拭いていると、突然非常招集、急いで制服に着替えて皆緊張して講堂に集まる。壇上の先生から『吾が軍はホノルル空爆中』と開戦の事実を聞く。ドキ〳〵胸は高鳴り、宮城遥拝しても、足もこぶしも震えがとまらぬ。隣の友の異様な気配、きっと同じ気持ちなのだ。（中略）教室に帰ると沖縄地区だけ警戒警報、そして続いてすぐ空襲警報になる。モンペに着がえてすぐ部署につく、私は通報係、死ぬかも知れないと思った。

演習のような気持と、夢のような出来事のようで、実感が伴わないが、下級生が急ぎ下校させられるのを見て、胸が痛くなる。いつかその時が来たら、私も戦って、潔く死のうと思った」とある。木村は、全身の震えが止まらなかったといい、隣の友人も「異様な気配」で、「同じ気持ち」であるに違いないと、と書き留めていた。

真珠湾攻撃のニュースを生徒たちは、先生をはじめ友人やラジオのニュースを通して知り、学校は、生徒を非常招集し講堂に集め講話のあと、下級生を下校させるといったかたちで対応していたことがわかる。

一九四二年一高女を卒業した木村明子は、「震えがとまらぬ」と「日米開戦」のニュースが伝えられた十二月八日のことを書き留めていたが、開戦前の七月一九日には、「一学期終業式。私は夏季奉仕入寮日で寄宿舎へ泊る（十八号室）。寄宿の廊下を、夜番が廻る」と記し、翌二〇日は「五時起床―四十分洗面―六時清掃―五分朝礼―五十分迄朝食―七時作業開始―芋苗植え、農場校庭の草とり」と書いていた。

寄宿舎での「夏季奉仕」が何日まで続いたかわからないが、そのような奉仕作業が行われたのは、夏季休暇に入ると、寄宿生は帰省したためで、彼女たちに代わって、寮の保全が行われていたのであろう。農場での「芋苗植え」なども、食糧の増産というだけでなく、生徒たちの体力増強といった一面もあったに違いない。

『ひめゆり』は、四〇年の項に、「夏休みに、寮生の帰省したあとの寄宿舎を利用して、勤労奉仕作業を主とした合宿訓練が、通学生の分団毎に行われるようになったのもこの頃である」と書いていて、寮が奉仕活動の一つの拠点になっていたことがわかる。

Ⅶ、戦時下の行事と楽しみ

十七里行軍（1942 年）

厳しい十七里行軍

倉知佐一は「昭和十六年から十七年にかけて、僅か一ケ年の勤務であった」が、太平洋戦争勃発ということもあり、学校行事も、その時代を反映するものとなり、そのなかで、「何といっても圧巻ともいうべきもの」は、一九四二年二月一〇日に行われた「十七里行軍であった」と書いている。それは「安里から勝連城址まで一日で往復するというかなりの強行軍」で、学校では、慎重に計画を練るとともに、厳重な身体検査を行ったという。

一九四三年（昭和一八）女師一部卒の崎浜静子は「十七里の道のりを越えて」で、次のように書いていた。

午前四時！出発だったとおぼえている。寮にいる私たちは、お弁当二食分（朝食と昼食）とおやつをもらって部屋に帰り待機していた。
いよいよ出発だ。運動靴の底にローソクをぬってすべりをよくし、豆が出来ないようにした。それに予備としてゴム草履を持って校門近くに集合した。

崎浜は、その後、相思樹並木の前で父兄が提灯を手にして見送ってくれたこと、午前六時半ごろ普天間権現に着いて朝食のおむすびを食べたこと、泡瀬の海道では、婦人会のおばさんたちが黒砂糖のくず湯を作って励ましてくれたこと、勝連城址で昼食を取り、城址の由来を聞き、帰りは歌を歌ったりして、落伍者を出さないように頑張り、寮へ着くころには一歩進むことも困難なほど、足がおもくなっていて、食堂にも壁につかまってはうようにしてたどりつくといった有様であった、という。

「行軍」については、一九四四年（昭和一九）一高女卒の桑江郁子も「十二里行軍」と題して書いている。

「十二里行軍」それは昭和十七年戦争の最中、たしか三年生の頃であった。敵の上陸に備えての訓練として、女学生の体育の時間にも「行軍」が取り入れられ、上級十七里、中級十二里、初級六里と分れ、体力や自分の希望によって級を選ぶことになっていた。

運動競技の苦手であった桑江は、十二里も無理ではないかと思ったが、体育の成績が行軍の距離によって決まるといったうわさが流れていて、中級に挑戦することにしたという。真夜中二時に起床、中級グループと落ち合い、おにぎりを三食分携帯し、出発するが、桑江には大きな不安があった。生理が始まっていたのである。往路はなんとか無事にすんだが、厚い脱脂綿をつかっていたため具合が悪く、帰路は、痛みがひどく、歯を食いしばって歩いたが、途中から雨が本降りになり、ぬれねずみよろしく学校にたどりつきはしたものの、寒気におそわれ、家に着いたときは高熱が出て、翌朝は起きられず、無欠席を通していた学校を初めて休んだという。

堅忍持久の精神

桑江は、「行軍」を「敵の上陸に備えての訓練として」と書いているが、「敵の上陸に備えて」というより、「堅忍持久の精神を養う」ためであったといったほうが適切であろう。先に紹介した「時局雑感」を見ると、その「十九　課外運動と鍛練的遠足」というのがあって「課外運動は従来とても行われていたところであるが、今度これを改善して毎木曜日の放課後、全校職員生徒一斉に各種の競技をやって和気藹々の中に身体の錬磨を図っている。／次に遠足も従来からやっていた事であるが、今後はたゞ単に物見遊山的なものとせずに、鍛練的な意味をも含めてやる事になった。二月十九日には鍛練会として嘉手納方面へ三十二キロの遠足を行った。身体の鍛錬に兼ねて堅忍持久の精神を養おうというのである」と説明していた。

「行軍」は「鍛練会」を延長したものであったと考えられることからして、そこで強調されているように「堅忍持久の精神」を養うためであったとみることができるのである。さらに付け加えておけば、一九四二年にはまだ沖縄への「敵の上陸」は、考えられてなかったといっていいからである。「回想」に見られる問題の一つである。

「行軍」は、桑江の「十二里」を含め、倉知や崎浜が書いている勝連往復「十七里」がよく知られているが、それは一九四二年だけに行われていたのではない。宮良ルリの『私のひめゆり戦記』（ニライ社）に「私が師範一年の昭和十七年一月と、三年になった昭和十九年一月の二度、行軍というのがありました。」とあるように、一九四四年（昭和一九）にも行われていた。

宮良の「行軍」に関する回想が四二年のものか四四年のものかはっきりしないが、「行軍」が、早くから行われていたことは、「昭和十四年の学校日誌より（抜粋）」として、『ひめゆり』に収録されている記録からわかる。

「学校日誌」の「二月十日」の項に、「鍛練県会、庁前より中頭街道大山駅往復三十二粁の強行軍を決行、六百余の大部隊粛々として行進困苦欠乏に耐えて非常時女学生の意気溌刺たり、落伍者僅かに八名という好成績」とあって、「三十二粁の強行軍」が行われた日時をみると、倉知が記していた、日にちと重なっていることがわかる。これは、単なる偶然とはいいがたく、「行軍」は、ここにつながっているように思われる。

一九四二年の姫百合

一九四二年三月三日発行された『姫百合』一六号は、「時局特集号」になっていて、その目次を見ると「計画と実践（十六里強歩の日）「光栄と責任（十六里を突破して）」といった題目があり、後者には生徒たちの感想が集められていた。『姫百合』一六号が刊行されたのは一九四二年だが、そこに集められている学生たちの手記に記されている「強歩」のなされた年は、前年四一年であったのではないかと思う。

『ひめゆり』に収録されている「年表（一八七〇〜一九四五）を見ると、一九四一年の項に「1・22強歩鍛練会（上級十里、中級八里、初級六里）」とあり、翌四二年の項には「2・19耐寒国民心身鍛錬行事の一つとして七里を五時間で踏破する強歩錬成会九〇〇名参加。3・6十七里行軍（上級が勝連城址まで十七里、一五〇名が参加、中級が美里小まで十二里、初級が普天間宮まで八里）」とあり、四一、四二年の二月までは「強歩」とあるのが、四二年三月には「行軍」となっていた。

宮良は、「行軍」について書いた後「昭和十九年には、沖縄の全中学校の生徒を対象とした、閲兵分列がありました。これは整列した部隊が行進して査閲者に敬礼する儀式です。そのため、学校では猛訓練が行われました」と、学園が軍国教育に傾斜していく様子とともに、「学校では」として、

学校では、学習はもとより、軍の陣地構築、食糧増産、とあわただしい毎日がつづきました。授業は一日おきぐらいつづけられていました。窓ガラスは、習字用の半紙をあっちこっちにはり、夜は灯火管制で十燭光の電灯に黒い布でカバーをして外に明かりがもれないようにし、その下で五～六人の人が額を鉢合わせにして勉強しました。

食糧事情も次第に悪くなっていきました。ご飯には芋がまざり、芋のない時は野菜の茎まで入っていました。量も少なくなりました。お汁にはかぼちゃをさいの目に切ったものが四～五個入っていました。来る日も来る日もかぼちゃで、いつになったらかぼちゃがなくなるだろうと思っていました。

と授業日数が半分になり、電力不足になり、食糧が不足がちになっていたこと、さらに陣地構築などの作業に出ていくときの弁当の量が少なく、それをおぎなうために、作業場近くの民家で芋を買い腹をみたしたといったことから日曜日の寮の食事、校門の清掃に及び、さらに続けて、

七時の鐘がなり、朝食が始まります。食堂に入ると週番の号令によって舎監の先生の見守る中で点呼があります。室長が「第一室総員十二名、番号」と告げますと、部屋全体が起立して、「イチ」「ニッ」「サン」と一人一人が声を出し、「ジュウニ」「以上十二名異常ありません」といった具合に全室の点呼が終わると、「大麻礼拝」という号令で、天照大神と書かれた神棚に柏手を打ち、そのあと明治天皇か照憲太后の御製を歌います。（中略）着席の合図のあと「箸取らばあめつち御代の御恵、君と親とのご恩味わえ」と言ったあと、「いただきます」になるのです。

と書き、そのあとさらに寮の日常について書いているが、ここであと一つとりあげておきたいことがあった。

ひめゆり学園のプール

それは「昭和十九年の元旦」のことである。宮良らは楽しい会食が終わって、お正月の挨拶まわりに出ようとしていると、舎監の先生に「モンペに着がえてプールの前に集合せよ」という声がかかる。プールに生えた藻やよごれを落とせということで、帰省できず寄宿舎にとどまっていた先島出身の宮良らは、「冬の寒空、運動場をふきぬける冷たい風にあたりながら、腰をかがめてゴシゴシ」やったというのである。

ひめゆり学園に、県下随一のプールが出来たのは一九四三年で、「華々しくプールびらきが催された」という。それと関するもので、一高女の安里淑子は、三年の真冬「校内のプール開きに、オリンピックの女流選手がお見えになりすばらしい泳ぎの御披露とブルブル震えながらの御指導を受けたことを覚えています」と書いていた。

一高女に進学した運天恒子も「特に印象にのこっているのは」として「水泳訓練が多かったこと」をあげているように、多くのものがプールについてふれていた。

その中で、河合寿子は「(昭和)十八年の二月から三月の寒い中でのプール開き、四年生の時に四～五回泳いだでしょうか?。沖縄での第一号の淡水プールだったのですが、水不足で、水のない事もあったのではと思います」(「思い出」)と書いていたが、少なくともプール開きのあった年は、水のない時はなかったようで、毎日プールで泳いだのもいた。

一高女に入学した頃の私は、ひどくやせていて、年から年中風邪をひいているような、虚弱体質でした。当然好き嫌いも多く、寄宿舎の食事時間はとても憂鬱でした。ところが、昭和十八年に、県内で始めての学校用プールができ、体育の授業にも取り入れられるようになって、泳ぐことが大好きになったのです。授業が終わって、寄宿舎へ帰ってから、またプールへ行って泳いでいる日が多くなったある日のこと、西平校長がいらして、

「どうせ泳ぐなら、毎日泳ぎなさい。続けて泳げないくらいなら、始めから泳ぐな。」

と言われました。幸い寄宿舎にいて、目の前にプールが有りますので、三百六十五日、毎日欠かさず泳ぎました。

一九四二年一高女に入学した大城清子はそのように、毎日プールで泳ぎ、風邪もひかなくなり、芋ご飯もカボチャのお汁もおいしく食べられるようになって「校内プールの恩恵は、はかり知れないほどおおきなもの」だったと書いていた。

プールで、毎日泳いでいた大城清子には、忘れられないことがあと一つあった。「座り胼胝《たこ》」である。そのことについて、大城は、

昭和十七年の春、上品で美しいお姉様方と一緒に南寮五室に入室致しました。畳の上に置かれた座り机で勉強する際、正座することになれていない私はすぐ足を伸ばしたくなります。ところが上級生と向かい合っていますので足を伸ばすと、上級生がピシャッと物差しで叩くのです。特に夏は暑いし、蚊もいるので一時間以上の正座は難行苦行です。下級生は泣きたいのを我慢して正座を続けたものです。

と書いていた。

大城は、いつの間にか、正座も苦にならなくなり、気が付くと「小さな座り胼胝」が出来ていたというのである。

寄宿舎の上級生は、下級生の座り方からはじめ、厳しく対した。その一方で、先に見てきたように「アイラブユー、オストアンデル」を買いに出されたり、イネン火の話を聞かされたりといったようにいたずらをされたり、背筋が寒くなるような思いをさせられたり

しているが、下級生にとって、忘れられない出来事が、その他にもたくさんあった。

宮良ルリは、「寮生活は苦しいことだけでなく、楽しいこともたくさん思い出として残っています。」といい、次のように、書いていた。

美人投票と着初め式

美人投票や制服の着初め式などがありました。美人投票とは読んで字のごとくで、一番美しいと思う人を投票で決めるのです。一年生は、真剣に投票するのですが、上級生はそろって一年生の名前を書きました。一位五十銭、二位三十銭、三位三十銭というふうに、選ばれた人は名誉だといって、それぞれ金を出しあい、お菓子を買ってきて、全員でいただくことになっていたのです。美人投票の結果が翌日の新聞に出ると言われ、だまされているとはつゆ知らず、掲示板にはられた新聞に向って、自分の名前を懸命に探している一年生の姿がありました。

五月十七日は波上祭です。その日は、一年生が初めて師範の制服を着る日になっていました。一年生が材料費を出し、三年生が制服を縫うのが決まりでした。祭の前日、三年生から制服が渡され、寮の各部屋で着初め式が行われました。式典では、水を入れた洗面器と、白い紙を付けた御幣がわりのガジュマルの枝、それにおにぎりがかざられました。一年生は制服をつけてすわらされ、そのまわりを上級生がかこみます。

「制服を着たからには、女子師範、一高女の生徒としての誇りを持ち、頑張るように…」などといった上級生の訓示のあと、一年生は式台に向って拝むのです。すると、上級生が洗面器の水にガジュマルの枝をつっ込んで、水をたっぷり含ませ、お払いだといってま新しい制服にふりかけるのです。ずぶぬれにされた一年生が泣きべそをかいていると、追い打ちをかけるように「このおにぎりを一口でたべなさい」と言われて、おにぎりを口に入れると、中身はすべて塩なのです。

また、安里八幡のお守りだから、肌身離さず持っているようにと渡されたものは、ただの木の葉でした。

美人投票、そして着初め式、どちらも新入生の胸を高鳴らせるものであったにちがいないが、上級生は、それを、簡単に楽しいものにしてはくれなかった。まさにイニシエーションといえるもので、新入生の肝をつぶすような儀式がまっていたのである。

宮良は、美人投票、着初め式につづけて、「そのあと」として、
そのあと、部屋にいろいろな障害物をならべ、一年生は目隠しをされ、上級生の指示どおりに歩かされるのです。
「足を高く、もっと高く、もっと右、足を下ろしたら小刀につきささってしまうよ」などと上級生が大声で指示すると、一年生は足を高くあげたり、右に行ったり左に行ったり、極度の緊張感の連続でした。

一年生にとって、これほど恐ろしいものはなかったであろうが、上級生は、障害物を一年生が「目隠しをしている間に」すっかりかたづけてしまっていたのである。

着初め式、肝試しについては、一九四四年師範学校女子部に入学した小俣敏子の「思い出の寄宿舎生活」にも見られるもので、新入生にとっては忘れられないものであったことがわかる。

寄宿舎での、一年生を迎えてなされた儀式にはさらに次のようなのもあった。

波之上祭に行くときに、上級生が「一年生はおひつも持って行くので、準備しなさい」と言いますので、一年生の私は、その言いつけ通り、誰はおひつ、誰はしゃもじ、その他にもいろいろと割り当てて、食堂のおばさんのところへ行きます。おばさんたちは、新入生が例年通り、上級生たちのあそびを真面目に受け取っていることを知っていますから、「準備しておきますね」と言って帰します。

部屋に帰って、一年生がおばさんたちの言葉を伝え、それでいいでしょうかと、おそるおそる伺います。上級生の爆笑がおこり、新入生たちはきょとんとすることになります。

島袋淑子の『ひめゆりとともに』（フォレスト）に見られる寄宿舎における一挿話である。波之上祭と関わる下級生にたいする上級生のいたずらでよく知られているのではあと一つ次のようなものがあった。

入学間もない頃、波上祭があり、祭りの前日になると、毎年のように、新入生は一生懸命縄を捜し回りました。

上級生から「祭りは混雑するから迷子にならないように長い縄を準備して、十数人が縄につかまって歩かなければならないのよ」とかつがれたのです。

もちろん、女学生が迷子になった前例はありませんでした。(『ひめゆり学園』ひめゆり平和祈念資料館資料集2)

美人投票、着初め式といい、祭りに持参するものの準備といい、新入生が、真剣になればなるほど、笑いが起こったに違いない。そして新入生たちが、上級生にだまされたことを知り、緊張がほどけていくなかで、参加者同士が強い絆で結ばれていったのである。まさに、青春真っただ中の光景が、浮かび上ってくる場であった。

芋の買出し

宮良ルリが女子師範に入学したのは一九四一年、島袋淑子が入学したのは翌四二年、同じ四二年に城間素子も、第一高等女学校に入学する。「本部の港を小さな貨物船に乗って那覇の港に着き、寄宿舎生活に必要な机、ふとん、柳行李を人力車にのせて、人通りのまばらな県道をのんびり歩いて」寮に入る。

一番人数の少ない部屋で、校長住宅の近くでもあり、騒ぐこともなく、勉強していて居眠りし、顔に墨のヒゲをつけられたりする。上級生のいたずらは相変わらずで、ごく平和な日常であったかに見えるが、「戦局の悪化に伴い、寮の食糧事情も厳しく制限され、消化の悪い玄米におかわりの食事の量も少なく」なっていく。「休日になると寮生を帰省させる」ようになるのは「家庭での栄養補給の目的」があってのことであった。

腹をすかせた寄宿生は、クジを作り、負けた者は「学校の裏の農家にお芋の買出し」に行った。

城間は、その時代を次のように回想していた。

生活必需物資統制令が施行され、衣類も一人何点と切符制になって、配給所で長い列をつくって買物をするようになりました。「一億一心」「欲しがりません勝つまでは」というスローガンの下に、総てが節約づくめの生活でした。制服のセーラー服も戦時にふさわしくないとして、昭和十六年以後は、全国統一でヘチマ襟の上着とひだのないスカートに変り、ひどくがっかりしたものです。

『ひめゆり』は「米穀配給通帳制が昭和十六年、衣料品点数切符制が昭和十七年に実施され、国民の生活はますます、窮乏の度が加わって、戦時色が濃くなっていった」と書いていた。寄宿舎の食事がいちじるしく質素になり、制服が変わっていったのは、総ての物資が不足し始めていたことの表れである。そしてそれに耐えるため、いくつものスローガンが打ち出されていったのである。

その一つ「欲しがりません勝つまでは」は、一九四二年十一月一五日の新聞に、「大東亜戦争一周年、国民決意の標語募集」で当選したものであったという。(三国一郎『戦中用語集』岩波新書)。

一九四三年一高女に入学した中根和子は、講堂で行われた入学式風景をふくめ、「よし頑張るぞ」と誓った入学式の日の感激から書き始め、「当時の一高女生の髪型は」として、「一年生はおかっぱ、二年生は前髪を分け、三年生は二つに分けたおさげで、四年生は三つあみであった」といい、制服についても「制服は、一年から三年までは、夏は白の上着でヘチマ襟、左胸のポケットに一センチ幅程の黒の一本線。冬は紺の上着に同じくヘチマ襟で、左胸ポケットに白の一本線があり、四年生のみセーラー服であった」と書いている。

一九四三年には、「師範教育令の改正」で、師範学校は男子部と女子部に分けられ、沖縄県女子師範学校の門札も、沖縄師範学校女子部と変わっていく。

宮良ルリは「思い出の学園生活」のなかで、「昭和十八年、学制改革により師範学校は国立に昇格し、一部、二部が予科・本科となり、今までの一部の三年までが予科、四年生は本科一年で女学校から入学したこれまでの二部生と一緒になって級編成もなされました。制服も着物の襟をした標準服・校章も桜の形の中に師の字の入った布製の全国統一されたものになりました」と書いていた。

師範に一九四二年に入学した金城豊は、「昭和十八年に学校制度が変わり、沖縄師範学校女子部になったとたん全寮制になりましたので、私もすぐ入寮」したと書いている。

Ⅷ、十・十空襲をくぐり抜けて

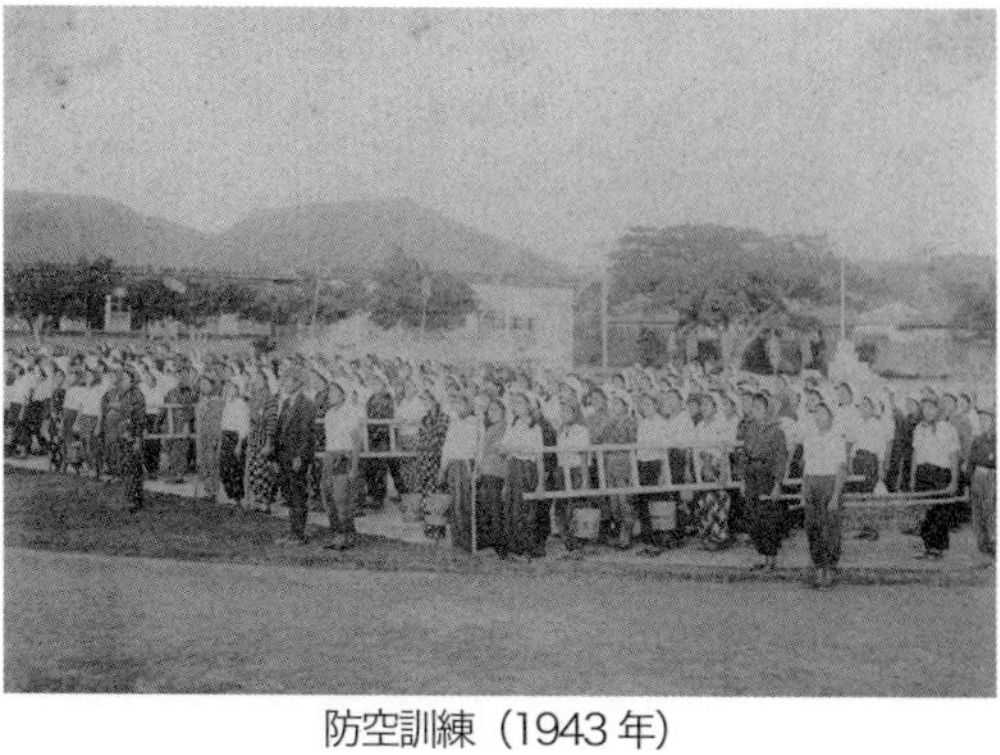

防空訓練（1943 年）

ひめゆり「最後のクラス」

一九四四年入学した徳本弘子は「最後のクラス」で、「南や北の戦線で敗色が濃くなり入試の勉強も灯火管制の下、学力よりも体力、奉仕の精神が強調される時代で何事も軍事優先の社会でした。従って入試の傾向も、皇室のことか戦況や国防に関することが重視され、陸海軍の大臣や参謀などの名を覚えた」と、当時の入試の傾向について触れ、「七倍強の競争率で合格し」、入学と同時に「全寮主義ですから入学即入寮でした。四十名の同級生は南、中寮に分散され、私も二人の同級生と共に三室の一員に加わりました。十六名の大部屋でした」といい、続けて、

点呼に始まり点呼で終る寮生活は軍隊そのもの、上級生は上官のように厳しく権威がありましたが、また姉のように優しく可愛がられました。しかし外出も食事もすべて節約制限され、ホームシックで泣く者もあり汽笛の音は、涙をさそいました。

と述べたあと、授業科目やクラブ活動、担任の先生の事、波之上祭からの帰途、中学生たちから「師範のオバサンター」と、はやされたといったこと、そして「その後間もなく情

勢が急に悪化し球部隊が校舎の一部を使用するように」なって「授業時間を短縮され、もんぺ姿で作業に」出て行ったと書いていた。

始めは半日だった作業も次第に密度を増し、ついに作業が本業になりました。えび茶の袴ならぬもんぺ姿で「勝利の日まで」を歌いながら上級生と共に、小禄飛行場、垣花、識名、天久の高射砲台と猛暑も寒風もいとわず徒歩で通い土砂運びに明け暮れました。にもかかわらず昼食の弁当箱には片すみにちぢこまった日の丸弁当とたくあんかごぼうが二切れあるのみ、時には寮の周辺や作業区域の民家をかけ廻っていもや砂糖、キビを買い歩きました。

陣地構築作業

徳本と同じ年第一高女に入学した渡真利春子も、弁当をもって、「友軍の高射砲陣地構築作業現場の天久へ」行ったこと、「クラスの仲間たちの疎開が、頻繁に」なってきたことで学級の編成替えが何度かあったといったことを書いたあと、「一番印象に残っているのは、寄宿舎での生活でした」として、「六時の起床に始まり、洗面、清掃、朝食、食事当番、登校、夕食、学習時間、点呼、就寝、消灯と規則正しい生活」のなかで、「上級生のお姉さん方がとても親切で、質問をすると何でも教えてくれましたし、病気になった時は、夜中も交替で看病」してくれたといったことを書いていた。

陣地構築作業や奉仕作業で疲れはてたなかで、上級生たちの親切は、この上ないものになったであろう。徳本は、夜盲症で、敷居につまずいたり、壁にぶつかったりしていて、暗くなると不自由していたことで、いよいよその親切が身に染みたにちがいない。

夜盲症が、ビタミンの不足によって生じる症状であることを思えば、寮の食事が、いかに貧しくなっていたかがわかる。

渡真利は、「敵機来襲、空襲警報発令、全員防空壕へ直ちに避難せよ」という舎監の大きな声を聴いて「防空頭巾と救急箱を持って、安里駅近くの防空壕」に駆け込み、爆弾の音を聞きながら座っていた。夕方になっておにぎりが配られたといい、「今夜のうちに、本島の生徒たちは家に帰した方が良い」という先生方の決定により、暗くなってから「出身地別に並び」、学校を去ったという。

渡真利は、学園を出て、一中の近くまで来て振り返ると、「那覇の街全体が火の海になっている」のに言葉を失う。沖縄の文化が火の中に消えて行くと思い、重い足をひきずって三二キロを歩き通し、明け方、家の見える所で「一高女生では」と声をかけられる。母であった。渡真利は、そのまま母のふところに飛び込んでいく。

十・十空襲

渡真利が「敵機来襲」という声を聞いて、壕に避難した日は、一九四四年一〇月一〇日。島袋淑子は、その日のことを、次のように書いていた。

一九四四年十月十日、当校で重要な軍の会議があると先生方は言っていました。私たちは寮におりますので、ちょうどその日は、首里に行く道路から学校の校門までの五十メートルくらいある相思樹並木の掃除をしていました。

朝六時起床ですから、六時半ごろだったと思います。掃除をしている時に、ウーッウーッウーッと空襲警報のサイレンがなりました。「みんな戻ってこい」と呼びに来ましたので、寮にすばやく戻って、運動場の相思樹の下にある掩蓋も何もない壕に避難しました。

まもなく空襲が始まりました。いつも飛んでいる飛行機とは全然違うかたちの飛行機が、翼をキラキラ光らせて、首里の方から港へ向ってシューと真っ直ぐに低空していくのです。

敵機だ！敵機だ！ということで、ここでは危ないので、一高女の生徒は「西の壕」に、私たち師範生は「東の壕」に避難しました。（中略）

「東の壕」は、上に掩蓋があって細長く、二百名近くの生徒が避難できる壕でした。朝は、まだ登校していませんから、寮の生徒だけが二百名くらい入っていました。昼頃、先生の話によりますと、市街が真っ赤に焼けている、ということでした。夕方になって、飛行機が飛ばなくなってから外に出てみますと、那覇の街は火の海になっていました。

私たちの学校は、焼けないで残っているということでしたが、これからは空襲が続くかもしれないということで、全員、自宅へ帰されました。

米軍による空襲が始まったのは、午前六時四〇分ごろ、那覇市役所のサイレンが「空襲警報」を告げたのは七時過ぎ、島袋が聞いたのはこの「空襲警報」だったに違いない。本来ならその前に「警戒警報」があるはずだが、それがなかったということは、全く予想してなかった空襲であったためである。

空母から飛び立った爆撃機は延べ一、四〇〇機、攻撃は、午後四時まで五波にわたり、「第三波までは沖縄本島全域の飛行場、港湾施設、船舶などシラミつぶしに破壊し、第四波、第五波は那覇市に集中して全市の約九割を焼き払った」（『日本の空襲—九沖縄』三省堂）という。

仲本とみは、十・十空襲以後、「戦争を身近に感じるように」なったといい、その後の動向について、次のように書いていた。

十・十空襲では那覇市街は全焼しましたが、私たちの学校周辺の安里や真和志一帯、首里市街（当時は首里市と言っていた）にはあまり被害がなかったので、離島（宮古・八重山）や国頭、中頭、島尻に一時帰宅していた寄宿舎生徒も帰校して授業が再開されました。しかし、ほとんど毎日陣地構築や看護教育、さらに食糧自給の勤労作業が主体でした。このような学校生活で沖縄戦は近いと思いながら戦争の恐怖感や敗戦等少しも想像できませんでした。

学校は、十・十空襲で、一時寄宿生たちを帰宅させ、その後帰校させているが、「那覇の罹災者は寄宿舎に入れる」と聞いて、島袋俊子は、入舎している。「食糧事情の悪い時に寄宿舎のいも御飯とわかめの太平洋汁は感謝で満腹でした」と書いていた。太平洋汁（ほとんど具のないお汁）を嬉しいと思う程に、一般の食糧事情は逼迫していたのである。空襲後、県庁首脳部は嘉手納に移動し、一〇日ほど那覇に戻らず「食糧営団も混乱のため一週間近く配給を停止して、大勢を収容している寄宿舎の運営は困難を極めた」（西平英夫『ひめゆりの塔　学徒隊長の手記』雄山閣）なかでの、太平洋汁といも御飯だったのである。

十・十空襲のあと、わずかの期間ではあったが、授業は続けられたと、宮良ルリはいう。そして「そのころ」のことだとして、「学校内での決死隊が」決められ、宮良は「炊事決死隊」に入れられ、「署名をしたあと、拇印をおさせられ」たという。

寄宿舎が軍隊のようになっていた様子が、ここには歴然としている。

Ⅸ、一九四五年の寄宿舎

防空訓練（1943 年）

学園の被害

教生実習が始まると同時に寮に入れてもらい、南寮五室の一員として灯火管制の寮生活も経験し、昭和二十年一月二十三日の大空襲で学園がやられ、危うく東の壕で命拾いをしましたが、偵察を続けるグラマンは夕方になってもまだ四機編隊で首里や学園の上空を旋回し、壕から出られない状態でした。宜野湾方面までの生徒は一時帰郷するようにとの寮長先生の命令に従い、与那嶺松助先生の引率の下に真夜中、学校の裏門から出発して首里山川を通り、宜野湾のわが家へ急ぎました。

古波蔵淑子の「中断した寮生活」(『戦争と平和のはざまで―相思樹会の軌跡―』ひめゆり同窓会相思樹会)は、一九四五年に入って間もない頃の寮に関して、二つの情報を伝えるものとなっていた。一つは、十・十空襲後も、学園は、「教員実習」を行っていたことである。それは、まだ、卒業、教員へというこれまで行われてきたことが予定通り行われる、と考えられていたということである。学園は、まだある程度機能していたということでもある。

あと一つは、一九四五年一月二三日の空襲で、学園に被害が出たということである。四五年になると、一月一日、新年早々から小規模の空襲があったが、一月二三日には学園・

寄宿舎の一部が被弾・崩壊し、近くの生徒たちは教師の引率で、自宅へ向ったということである。

二三日の空襲のあと、帰郷するようにと命令した「寮長先生」は、西平英夫である。西平の記録によると二三日ではなく二二日で、それが正しいが、その日の午前中は、港湾施設を目標にしていた攻撃が、午後になって、学校に及び、被害の調査をしたところ、「五個の爆弾が投下され、一発は東方の畑に一発は西方の壕近くに、残り三発は校内に落ちて、運動場と図書館、寄宿舎の南寮、ほぼ中央にある第三校舎がめちゃめちゃに破壊され」たことがわかる。

南寮に落ちたものは五つの部屋を全壊させ、約三坪もあるコンクリートの天水用タンクの蓋を二メートルばかり吹き飛ばし中に保管していた生徒の貴重品及び食糧を押しつぶしていた。中央のそれは六棟も並んでいる校舎の中央に大穴をあけて第三棟の教室及び寄宿舎北寮の三室を破壊していた。このような被害のために、私は舎監長としてとりあえず通学可能の者を自宅に帰し、残りの寮舎の復旧状態に応じて寮経営の根本策を考えることを決心して、部長の指示を仰いだ。

幸い首里・那覇方面の被害は少なかったので、その夜のうちに最寄りの者は帰宅させることが出来た。

舎監長であった西平は、そのように空襲による被害の報告と、寮生たちの対策について記したあと、二、三日後、工兵隊と男子部の生徒が、壊れた校舎を解体し、陸軍病院に運んで行ったこと、残った生徒で、寮舎の修理を行い、「寄宿舎二十一室中十四室を復旧」したこと、「予科一年生は全面的に帰郷させ、他学年中通学可能な者は寮経営に必要な一、二名を除いて通学させることにして、再起することが出来たのはおよそ一週間のあとであった」と続けていた。

父親への手紙

一月二二日の空襲が、これまでほとんど無事であった学園の施設の幾つかを破壊したことが舎監長の文からわかるが、その時の様子を、手紙にしたためて、父宛てに書き送っていた生徒がいた。

生徒は、二二日朝起き抜けに爆撃され、外に出た時には敵機が頭上を旋回していて、運動場の隅にあるチリ焼き場の中にひそみ、壕に行きつくまで、タコツボ壕にひそんだり、川の淵に隠れたりしていた。午前中はそれほどでもなかったが、午後になって、投弾が激しくなり、四時ごろ、校内の四か所に投下された一発が、「舎生の荷物を保存してある地下タンクの一端」を直撃、中の荷物が吹っ飛んでしまうが、その中に、手紙の送り主のトランクもあった。瓦礫の中から探し出すと「妙な格好になって」いて、憤慨する。舎監が書いていた「天水用タンク」の個所と重なる部分であるが、あと一か所、舎監の書いていた出来事と重なる箇所があった。

手紙にはこう認められている。

丁度折悪しく、ばくだんのおちた所から一間そこそこしかない所にある一人壕に、生徒が入って居りまして、爆風のために吹きあげられた土塊のために、生うめにされてしまいました。敵機がさると、すぐにかけつけて行って、スコップで土をほりおこし助け出しました。命には別状ありませんでした。又、大して身体に故障もおこっていません。これ等はあんな至近弾をくらっていながら、身体に故障もなく、無事に助かったというのはほんとに奇蹟だといって皆不思議に思っています。

手紙の主内間シマ子は、そのように一月二二日の空襲について、父親宛てに手紙を書いていた。彼女が、校内に落ちた爆弾について書いたのは、預かっていたものが被害にあったことを知らせるためでもあったが、同時に、今後は、郷里も敵機の来襲はまぬかれないだろうし、後日の参考になるのではないかと思ったからであるといい、「私達はすべて団体と行動を共にするのであるから生活その他について決して御心配は要りません」と締めくくっていた。

看護訓練の始まり

十・十空襲後、フィリピンでの戦闘も敗色が濃くなり、敵の動向が注視されつつある頃、軍は、「女師・一高女は沖縄陸軍病院のために約二百名を確保し、訓練を行なえ」と言って来たという。西岡部長は、「師範のほうからおよそ百二、三十名を確保するよう」指示したが「当時本科二年生は教育実習中でもあり、三月には卒業を予定されていたのでこれを除き、本科一年以下予科二年まで百三十名をもってこれにあてると」し、「一高女のほうはこれに即応し三、四年を中心にして計画された」という。

他の女学校では、一月から訓練が始まっていたが、陸軍病院の都合等もあって、女師・

一高女の訓練が始まったのは三月に入ってからであった。
硫黄島の戦況が不利になっていく様子が日々伝えられ、三月一日には小規模ながら空襲があって、一三日には、敵の機動部隊が九州南部を攻撃、二一日には、硫黄島が陥落し、沖縄への来攻が確実視されるようになっていく。

三月二十三日は、私たちの卒業式の予行演習の日でした。寄宿舎では前夜に留送別会も簡素ながら催され、紅白の祝いのお菓子もいただき、私たちは荷物も梱包して帰郷する準備もしていました。しかし、その早朝、また大空襲に見舞われました。そして、午前十時頃からは、艦砲射撃も始まり、久高島や港川方面に落ちる艦砲弾が地軸をゆるがすような地響きと地震のように揺れるすさまじさに、みんなおびえていました。

私たちの掩蓋壕（安里川の排水溝に丸太や木の葉で遮蔽した粗末なもの）では、艦砲弾は防ぐ事ができないとの事で緊急に識名陣地（私たちが毎日通って掘った石作りの横穴で石室の堅固な日本軍の壕）の壕へ一時避難しました。兵隊たちも陣地構築の時に、ほとんど顔なじみであったので快く迎えてくださり、夕食のおにぎりもいただきました。

夜になって、いくらか砲弾も遠のいたので寄宿舎へ帰り、荷物をまとめ、西岡部長から南風原陸軍病院動員の命令と訓示を受け、陸軍病院へ出発しました。

師範本科二年だった仲本とみは、「自決か、生きるか」のなかで、そのように、三月二二日から二三日にかけてのことを、簡便にまとめていた。この二日間の出来事について、すなわち留送別会から陸軍病院への移動については、恐らくどれほど言葉をつくしても書き尽くすということなど到底できるものではなかった。それほどに、色濃い時間が流れた二日間だった。

最後の留送別会

三月二十二日、寮では夕食に引き続き、食堂で留送別会が行われた。物資のない、いつもおなかをすかしていた時だったがどんなご馳走がでたか覚えていない。各部屋毎に下級生が思い思いにきんとん等を作って心から祝ってくれたことが記憶の中にある。

いろいろな演芸が出て、宴たけなわに停電した。みんなはローソクをともして続けたいと希望したが、結局聞きいれられずあわただしく送別会は終った。

翌二十三日は朝から大空襲があり、十一時頃艦砲射撃が始まった。上陸の公算ありということでその日の夜半、学校や寮に別れを告げ陸軍病院へ向った。食堂には夕べの会の飾りがそのまゝ風にゆれていた。

三月二二日から二三日にかけてのことを書いたのに本村つるの「最後の卒業式」があった。そこには、寄宿舎最後の日のことと、未知の出来事がまちうけている所へ向かった日のことが万感の思いをこめて書かれていた。

留送別会について書いたのは、他にも沢山ある。それぞれに大切な言葉がつづられていて選択しがたいが、あと一つということになれば、やはり舎監長の記録ということになるであろう。

三月二十二日、われわれは寄宿舎の大送別会を持った。思えば昭和十八年、師範学校昇格の春に入学し、以来二か年の学修を終えて、その多難な時局下、国民教育の第一線に挺身していく卒業生である。特に十九年八月以来の幾度かの空襲に、勤労に、増産に、生死をともにし手足のごとく活動してくれた卒業生である。この時局下に卒業すれば再び会うことがないかも知れないことを考えると、私の送別の言葉は喉につまって出て来なかった。

時局ではあるが、卒業生の食卓には赤飯、紅白の祝饅頭、カステラ等を用意することが出来た。在校生にも心から祝ってやってくれとそれぞれご馳走を用意した。これがせめてもの慰めと思って私は別れを惜しむ生徒の交歓に耳をかたむけた。在校生の送別の辞、卒業生の謝辞、いつもよりいっそう切実感がこもっていた。送別の演芸もだんだん進んで上間道子の浪曲「更科の別れ」が万雷の拍手をもって迎えられた。

しかし、私の夢は長くは続かなかった。折しも十時過ぎの停電が急迫の空気を伝え、送別会の中止を余儀ない処置と判断した。ローソクをともしてでもという生徒たちをなだめて、私は解散の命令を出した。

これがわれわれにとって最後の宴となったのである。

女師・一高女、ひめゆり学園の寄宿舎は、三月二二日の留送別会でもって、その役目を終えたことになる。多くの生徒たちの夢をはぐくみ、送り出してきた寄宿舎は、やがて爆撃を受け、地上から消え、二度と再建されることはなかった。その意味でも、四五年の留送別会は、「最後の宴」であったといえるのである。

X、「ひめゆり学徒隊」として

校門前の相思樹並木（年代不詳）

沖縄戦間近の学園生活

『ひめゆり学園』（ひめゆり平和祈念資料館資料集2）は、「4学園生活（寮生活を中心に）」のなかで「師範生は全員（昭和十八年から）、一高女の一部（遠距離）」が寮に入り、決められた日課表に従って動いたこと、寮は三棟（北寮、中寮、南寮）十八室、校門近くに別棟（同窓会館）五室があったこと、各部屋には十二名から十八名が収容され、約四〇〇名が暮らしていたこと、食事前には大麻礼拝、御製朗唱、就寝前には宮城礼拝、御製朗唱があったこと、寮費は一九四〇年（昭和一五）までは一一円、四一年には一二円、四二年には一五円、四三年以降は一八円と、年ごとに増えていったこと、そして禁止事項、違反した者への処罰、娯楽などについてふれたあと「沖縄戦間近の学園生活」として、

沖縄戦間近の昭和十九年になると、食糧事情がさらに悪くなり、寮の食事がより質素な物へと変わっていきました。いもやフダン草をまぜたご飯に実のないおつゆなど、毎日似たようなメニューが食卓に登場するようになり、以前のようにおかわりもできず、いつもお腹を空かせていました。

緊急時に動きやすいように、服装も上は制服、下はもんぺになり、上着には、住所、血

液型等を書いた名札を縫いつけていました。救急カバンを常時携帯し、ふだんは靴の代りにゲタばきが多くなりました。

非常時へ対応できるために、消火訓練、防空訓練、避難訓練なども行われ、警防団や軍に講評してもらったりしました。以前から行われていた閲兵分列などの軍事訓練もますます強化されました。十月十日の大空襲の後からは、上級生の本科二年生には、消灯後、不寝番の当番が課されました。

休日には、空襲に備えて全員が外出することができず、寮生の半分だけ外出して、半分は食糧増産などの作業をするようになりました。（半舷上陸とも呼ばれていました）

おしゃべりの中にも、サイパン玉砕、戦局の進展等時局に関するものが出てきました。

と締めくくっていた。

事変下での寄宿舎の生活は、食事面をはじめいろいろな面で大きく変わり始めていた。とりわけそれは、日米戦が起った前後に入学していた女師・一高女の生徒たちの手記によく現れていた。例えば宮良ルリの『私のひめゆり戦記』（ニライ社）であり、島袋淑子の『ひめゆりとともに』（フォレスト）等である。彼女たちは、広く知られているように「ひめゆり学徒隊」として、南風原陸軍病院に動員され、負傷兵の看護にあたった生徒たちであるが、彼女たちの著書には、ひめゆり学園の寄宿舎で暮らした日々の思い出が、あふれんばかりの思いをこめて書きこまれていた。

　戦時下におけるひめゆり学園の寄宿舎の様子を書いたのは、しかし宮良や島袋だけではなかった。彼女たちの外にも何名かいて、それぞれに大切なことを書いていた。繰り返しになるが、彼女たちの著作をもとに、やがて地上から消えることになる寄宿舎の最後の様子をもう一度追っていきたい。

奉仕作業の毎日

　一九四三年本科一年に入学した伊波園子は、そのころには「不思議に以前ほどの戦勝報道はなく、出征兵士を送る行列に参加すること」もなかったといい、「いつの間にか私たちの校舎の一部にも『球部隊経理部』の札がかけられ、廊下などで兵士たちと顔を合わせることが多く」なったという。そして本科二年生になると「音楽の時間にも軍歌ばかり歌っていたように記憶して」いるといい、これまで、「週に一、二回の奉仕作業となっていたのが、いつのころからか一日おきの作業になって」いて、「軍司令部へ事務の手伝い、与儀の農事試験場へイモ掘り、サトウキビ運びの増産作業、小禄飛行場の整地作業、天久の高射砲陣地の構築作業、東風平、識名の陣地構築など」を行い、国の役にたっているという満足感にひたる一方、作業だけの学生生活への不安もあって、「国頭出身の二年生五、六名がだれいうとなく、信頼する先生のお宅を訪問して、戦争をはなれてなにか実のある話を聞いてまわり、このむなしさを埋めようと語りあい、さっそく実行」に移したという。そして「日曜日の朝、『T先生のお宅へ参ります』とみんな同じ文句で書いた外出簿を寄宿舎の舎監に提出すると、さぐるような目でじろじろと見られましたが、なにか誇らしげな気持ちになって出かけたものでした。寄宿舎の農園から自分たちでつくったネギやダイコンを一にぎり抜いて手土産にし」たという。

その日、伊波たちは、先生から平家物語や源氏物語、万葉集恋歌の講釈を受け、時のたつのも忘れたといい、それに味をしめ、次の日曜日はどの先生、その次の日曜日はどの先生と計画を立てるが、危機が迫って、日曜日の外出は禁止され、「訪問受講」も終わったという。

戦時下の生徒たちの学びたいという意欲が生んだ計画が、つぶされて行った無念さが伝わって来るエピソードであるが、伊波の本には、あと一つ、大切な出来事が書かれていた。

一九四五年一月二二日、二回目の大空襲があって、図書館、体育館、プール、校舎、寄宿舎の一部が破壊され、戦争が身近に迫ってきていることが感じられるようになったある日、本科二年生全員が舎監室に集められ、生徒指導主事から「沖縄が戦場になったとき、残って学校と運命をともにするか。それとも自宅へ帰るか」という質問を受ける。結論が得られず、あとで一人一人来て返事を聞かせてほしいということで、「国頭出身者は集って話し合い」、「家に帰りますとはっきり言おう」と決める。友達と二人、先生に呼ばれて舎監室にいくと、彼女たちの取り決めについて、先生はすでに知っていて、話は平行線をたどる。そこで「ほんとうに私たち生徒にやるべき仕事があるのでしたら、前に『帰る』と言った人たちだって前言を撤回して残るでしょう。しかし、いまのところ、やっぱり私たちは自宅へ帰ったほうがいいとおもいます」といって、二人は舎監室を出る。

伊波はそこで「二人はきっぱり言って舎監室を出ました」といったあと、「しかし現実には、私たちは帰れませんでした」と書いている。この「きっぱり」という一語には、「皇国民としての理念」が第一であるとされるなかで、「非国民」と呼ばれることもいとわないという不退転の決意がこめられていた。大麻礼拝や宮城遥拝を毎朝、毎晩行う中で、まだ、自分を見失うことのなかった生徒たちがいたことがわかるものとなっている。

「軍国少女」への道

宮城喜久子は『ひめゆりの少女　十六歳の戦場』（高文研）で、戦時下にあった女学生たちが「指示通りよく」働いたことをふりかえり「当時の風潮は、みんなと異なる行動をとることはタブーとされ、国の方針に少しでも反することをすると、ただちに『非国民』『国賊』ということばでののしられ、迫害されましたので、だれもがそのことばを恐れました。国家の力、社会の力、教育の力によって、人間の生き方がただ一つの方向に統制された、そんな時代だったのです」と書いていた。

宮城が第一高等女学校に入学したのは、一九四一年。「マレー半島への奇襲上陸、ハワイ真珠湾への奇襲攻撃によって、イギリス、アメリカとの戦争になだれ込んで」いった年である。宮城は、同世代の少女たちが「軍国少女」として育ったことから筆をおこし、一九四五年二月二二日の空襲で「校舎や寮の大部分が破壊された」こと、生徒数名が負傷したこと、「学校に駐屯していた球部隊経理部の兵士や軍属」が死亡したことなどに触れたあと、

その日、寮にいた私たち生徒は、自宅に戻って一時待機するように言われました。また
そのさい、近く戦場へ動員されることを父母に告げ、許可をもらってくるようにと、先生
方に言われました

と書いていた。

宮城は、久しぶりに家族と過ごしたあと、学校にもどる際に、南風原病院への動員を許可してほしいと、父にお願いする。父は当時、国民学校、青年学校で軍事教練の教師をしていて、生徒たちに「国のために尽くす人になれ」と訓示していたことを知っていたので、喜んで許可し、送り出してくれるだろうと思っていたところ、父は意外にも「十六歳で死なせるために、お前を育てたんじゃないぞ!」と怒鳴ったというのである。母も「一高女の卒業証書はもういらないから、学校に戻らないでここに残って!」と、哀願したという。宮城は「お母さん、そんなことをしたら、みんなに非国民と言われるよ!」といい、「父母のもとから逃げるように学校へ」戻っていく。

宮城が、父の言葉に衝撃を受けた事は間違いない。宮城にすれば、「国のために尽くす人になれ」という父親の教えは絶対に守るべきものだという思いがあったに違いないから

である。父の顔と教師の顔とは、全くちがうものであったということに宮城は思い至っていない。

学園に戻った私たちは、学校の修養道場で生活することになりました。一高女の寮だった北寮は二月二十二日の空襲でめちゃめちゃに破壊されてしまったからです。修養道場は、そこで礼儀作法やお茶、生け花、琴などを教わる五十畳以上もある広い和室の部屋でしたが、生徒の数も五十人以上おりましたから、窮屈な生活でした。

宮城たち一高女の生徒たちは、空襲を受けた一九四五年三月二三日の夜、修養道場から戦場に出ていくことになるが、師範のグループが「識名を経由して南風原へ」向ったのに対し、「一高女のグループは国場、津嘉山を経て南風原へ」向かう。

貧しい食料事情

女師・一高女のグループが南風原に向ったその前月、一九四五年二月一〇日、女師一次合格者（十六名）が、発表され、続いて二月二六日には、一高女合格候補者が発表されていた。

地上戦がなければ、それぞれ第何期生かの入学者になったであろうが、その機会はついに訪れなかったことで、一九四四年の入学者が、最後の入学生ということになる。
一九四四年に予科一年に入学した一人に上江田千代がいる。

幼い頃からの夢が実現し、一九四四年（昭和十九年）、私は全寮制の師範学校に合格して生まれて初めて両親と離れて生活する準備にとりかかった。しかし一九三八年（昭和十三年）三月一日から衣料切符制度が始まったのに続き、翌年四月十二日からは米穀配給統制法が公布されていた。当時は衣料をはじめ生活用品すべて針や糸に至るまで家族の人数による点数制になったものの店には品物がなく、ないないずくしの不自由な生活を強いられていた。

上江田は、「寮生活の準備にあたって」、洗面器やはし箱など、デパートに務めている知人に特別にお願いして手に入れることが出来たといい、「持ち合わせの衣類など柳行李」に、「母が黒砂糖の包みも加えて準備は何とか整った」という。
上江田が入った部屋は「修養道場の一角で、他の部屋より小さく新しかった。先輩四名と新入生二人のメンバーだった」という。そこで、「最も印象に残っているのは、生理用品の作り方を教わったことである」と書いていた。ひめゆりたちの寄宿舎において、書かれていて当然であると思えることが、幾つも書かれてないのではないかと思えることの一つだが、それはあまりに身近すぎて話題になるものではなかったということなのだろう。

上江田は、そのあと寄宿舎での貧しい食糧事情、日曜日、両親のもとへ戻っての栄養補給について書くとともに「家が遠くて帰れない友人や先輩たちのためにと、母は麦こがし（小麦を乾煎りして石臼でひいた香ばしい粉）に黒砂糖を刻んで混ぜた保存用おやつのお土産を用意していた」といい、

寮に着くと早速、おやつの時間にする。みんな輪になって、布袋の中の香ばしく久しぶりに口にする甘い粉を、家から持参したガジュマルの木の固い葉をスプーンがわりにすくっては上を向いて大きく開いた口に流し入れる。誰かが冗談を言うと、粉が吹き出しそうになり、口を手に当てて笑う人、ほっぺたをふくらませて口を閉じて笑う人、箸がころんでも可笑しい十代の私達は、日曜日のひとときを時世に関係なくおだやかに過ごした時もあった。

「麦こがし」は、ユーヌク（はったい粉）のこと。「麦をいって粉にしたもの。砂糖を入れて、そのままでも、または湯を注いで練っても食べる」（仲宗根政善『沖縄今帰仁方言辞典』角川書店）。

おみやげに持ち帰った麦こがしをみんなで囲んでいる光景は、なごやかである。食糧事情が逼迫するなかで、ちょっとしたおみやげが喜ばれたのはいうまでもないが、何よりも、部屋のものがみんなで日曜日のひと時を過ごすことが出来るということが、そう簡単ではなくなっていたからである。

上江田が、麦こがしをお土産に持って帰ったのが、何月だったかは分からない。彼女の入学が一九四四年であったことを考えれば、その日は、最後のわずかな陽だまりのような一日であったように思える。

陸軍病院への動員

十・十空襲のあった日から「二、三日過ぎた頃、家が近くの人は外出が許可された」という。上江田は「家へ向かう途中で見た那覇市街は焦土と化し、きな臭い煙がくすぶっていた。港には水死体が浮上し、女の人のふくれた白い肌と、長い黒髪が対照的で、目をおおう惨状だった。道で会う大嶺の人に様子を尋ねると、飛行機は飛ぶ前に全滅で、民家にも被害が出て、全員村から立ち退いたとの話だった」といい、家族は、危険を予測して、他に移っていたことで、無事だったと書いていた。

年が明けた一九四五年の一月二三日「再び大空襲となり今度は校舎や寮が被害を受け、学校や寮生活が不可能となった。離島の人は交通機関がなく、寮に残り、他は帰省した」と書いているように、事態は刻一刻、深刻さを増していく。

三月二二日、卒業式を前に恒例の留送別会が行われ、二三日を迎える。当日の事は、ひめゆり学徒の多くが記していることだが、その一人、本村つるは『ひめゆりにささえられて』（フォレスト）のなかで、

翌二十三日は米軍の大編隊による空襲で明けた。壕に避難する暇もなく弾が落ちて来る。十一時頃だったと記憶しているが、空襲とは違う着弾音がして、艦砲射撃が始まったという事だった。私たちが避難しているのは掩蓋一メートルもない壕だった。危ないと判断した先生方は、生徒全員識名の高射砲陣地に移動するよう命じた。そこは私たちが陣地構築

作業で、手を豆だらけにしたおなじみの場所であった。敵機の飛び交う中を安里川沿いに、葦の茂みにかくれるようにして進み、全員無事識名の壕へ到着した。夕方空襲がやんで寮に帰る前、全員に白米のおにぎりが配られた。

米軍の沖縄上陸はまちがいないという事だった。その日の晩、寮にいる生徒たちは全員、陸軍病院へ動員されることになった。親たちへの連絡も出来ないままであったが、慌ただしくて、連絡のことなど考える余裕もなかった。

校長住宅のまえで、校長の訓辞を聞いたあと、南風原陸軍病院に向かう。先に一高女生が出発しそのあと師範生が続く。上限の月がかすかに道をてらし、ふりかえると、「ひめゆり学舎があたかも影絵のように月に照らされて」軒を並べているのが見えた。

寄宿舎への「最後の訪問者」

寄宿生と寄宿舎との別離は、しかし、これが最後ではなかった。

二三日、寄宿舎を出て行った生徒たちのなかに、後一度、寄宿舎に戻った生徒たちがいた。四月一日、米軍が沖縄本島中部の海岸に上陸した夜、一四人の生徒が「決死隊」として、二台のトラックに分乗して、学校へ食糧や蒲団等を取りにいくことになる。

那覇から戻ってきた兵士は、そこは艦砲も激しく、死にに行くようなものだと止めたが、決死隊として行くのだから覚悟は出来ているとして出発する。首里の町から、那覇の海を見ると、何百艘もの軍艦が煌々たる光の中に浮かび、大都市のように見えた。トラックは相思樹並木の門を入り、講堂の前で止まった。

「これから寮へ行って蒲団を取って来い。」

と言われ、私はひとり、一番遠い南寮の自分の部屋へ駆けて行った。どの部屋もガランと開いたまゝであった。部屋の中は普段のように、机の上には本やノートが置かれ、えもん掛けには服がかけられ、スリッパが並べられている。今にもみんなが戻って来るような気配さえ感じられた。私は自分の机の前に立ち、何か……と思ったが、何一つ取らなかった。押入れを開けた。衣しょう箱や蒲団がきちんと整頓され、何もかもがそのまゝであった。私は、砲弾の降りしきる暗い寮の中に、一人でいる淋しさも恐ろしさも忘れていた。この寮ともこれが最後かと思うと、部屋を出て行くのが悲しかった。蒲団を二枚頭に乗せると部屋を出た。そしてトラックの待っている所へ走った。

曳光弾が打ち出され、その光を追うように艦砲が飛んで行き、炸裂する音が響く中、校庭に立ち、「長い歴史を誇る校庭。多くの人材を育てた学舎。もう、この校庭に訪れる人はいない。自分たちが最後の訪問者なのだ……と思うと、いつまでも動こうとしなかった。」と、山内祐子は書いていた。

「決死隊」として寄宿舎から蒲団を運び出した山内が言う通り、彼女たちが「最後の訪問者」であり、寄宿舎に別れを告げた最後の生徒たちであったといっていいだろう。

X、「ひめゆり学徒隊」として

寮の留送別会（1940 年 3 月）

一九一六年（大正五）女子師範に入学した砂川フユは、その頃は、師範生は全員寄宿舎に入ることになっていたので「思い出の数々も寄宿生活が中心になって」いるという。砂川は、ひめゆり学園の記念式典が行われた一九三五年（昭和一〇）ごろの寄宿舎と、彼女がいた頃の寄宿舎とを比較し、規則や生活状況といった形式面では特に変わったものはないが、規則の活用、生活様式の改善といった内容面では大きく変わったものがあるとして、

先ず寄宿舎はあの頃の姿が全く一新されて、大へんに美しく文化的になっております。日本間が設けられてお作法のおけいこも出来、医務室の設があり、炊事場、湯殿、舎監室は改善され、拡張されています。洗濯場が出来、中庭には物干があり、各寮に入口が出来て下駄箱を置くようになっております。中庭が出来てかわいらしい草花が植えてあります。（中略）学校の図書館は寄宿舎でも利用が出来て、読書欲の満足も充分出来るでしょうし、運動具の設備運動熱の向上に依って舎でも勉強時間の暇々には庭球、卓球と思い思いに楽

しむことも出来るようになっております。

と、書いていた。

砂川は、そのように、「先ず」として寄宿舎がよくなった点をあげたあと、服装の違い、海老茶の袴、渡辺式の袴からブルーマー、軽装お下げ姿への変化、修学旅行の際の髪型、前髪を二百三高地にするのに大わらわであったこと、水曜日の放課後と日曜日だけの外出、五時半の門限、さらには白粉下のホーカー液使用にちなむ大騒ぎがあったことなどを記し、「やっぱり時代がちがっていた」といい、「今ひとつの思い出に」として、「お二人の先生を中心に高女四年生の殆ど全部が二組に分れて一組は△△先生党、一組は○○先生党と自分達同志争って△党は袴の紐は右結び○党は左結びと決めて道の往復にも廊下のすれちがいにも互ににらみ合って学校中に大きな話題を撒き散らしていた」といったこと、舎監の先生は男ひとり女六名で父母のように慕っていたこと、学科目は大差ないが、「割烹室が拡張されて実習が充分に出来、実業科として一年時代にやった機織がなくなり体操科に於いて運動熱の向上、各種競技会の開催と参加、それから洋裁が加えられ、図書科が一段と進歩して」いて、今昔の感がするといい、校舎の設備の充実ぶりに触れていた。そして、現在の妹達は学校生活、寄宿生活に於いて得る所とその楽しみは実に大きいものがある事と只々お羨しく存じます。私共の居た頃は十年一昔と申せば、かれこれ二十年近い二昔前の事ですから、なる程其の変遷も大きいわけだと思い乍らも、母校の御発展を深く祝福申しております。

と結んでいた。

砂川フユの「在校中の思出」は、一九三五年の記念式典を機に集められた回想文の一つである。砂川が入学した一九一六年（大正五）は、寄宿舎が落成し、「一大スイートホームが出来」たと新聞に報じられた年である。そして翌一七年には「大きくって、きれいで、明るくって」と喜ばれた増築が落成した年である。

砂川もそう思い喜んだ組であったに違いない。それが、一九三五年になると、「その変遷も大きいわけだと」思わざるをえないほど、発展していたのである。

一九三五年から一九四五年までの一〇年間はどうだったのだろうか。寄宿舎そのものに大きい変化があったようには思えないが、そこでの日常は、大きく変わり、それこそ想像を絶するものとなっていたはずである。

一九三五年前後も、満州事変の勃発で寄宿舎の生活にも変化が見られるようになってはいただろうが、まだ、すべてに余裕があったといえる。しかし、一九三七年（昭和一二）に日中戦争が勃発し、やがて真珠湾奇襲による米国を始めとする連合国との戦争がはじまると、寄宿舎での日常だけでなく、学園そのものが大きく変わってしまう。球部隊の経理部が、学園に駐留するようになり、奉仕作業とさまざまな訓練の日々が続き、那覇を焼き尽くす空襲があり、看護教育が始まり、再度の空襲で寄宿舎の一部が破壊され、ついに生徒たちは、寮を出て南風原陸軍病院に向かうことになる。

生徒たちの去った寄宿舎は、やがて壊滅する。そして、二度とその姿を現すことはなかったのである。

附・『姫百合のかをり』再見

一九三五年、「ひめゆり学園」は、創立記念式典を挙行し、一二年一月に記念誌『姫百合のかをり』を発刊していた。記念誌には貴重な記録が数多く収録されていた。「寄宿舎」に関する手記類はそのひとつである。もちろん「寄宿舎」について触れてない手記もある。むしろその方が多いといっていいのだが、それらは、当面の課題からはずれていたことで、落とさざるをえなかった。

ここで『姫百合のかをり』を再度取り上げようと思ったのは、「寄宿舎」とは関係ないとして落としてしまった中に、幾つも大切なものが残ってしまったからである。たとえば、次のようなものである。

たしか今年の初めだったと思う。宮城聡という人が東京日日新聞の夕刊の小説に〝故郷は地球〟の題で著者が琉球人の名の下に同僚から蔑視され憤慨やる方なく誰の故郷も同じ地球ではないか、眼を大きく開けとの著者の意らしかったが、暗すぎてジャーナリズムに受けられなかったせいか、途中から中止になってしまった。自分には著者の気持ちがとてもよくわかって面白く読まれた。沖縄を去って一人として心のしっくり合う友を見出すことの出来なかった私の様にこの人も恐らく其点では失望を重ねているに違いない。

跡部弘子の「故郷を離れて」に記されていることである。

宮城聡の「故郷は地球」が、師事していた里見弴の推薦で『東京日日新聞』に連載されたのは一九三四年二月一三日から三月一七日までである。作品の内容は、まさしく跡部が指摘している通りであるが、「途中から中止になって」というのがよくわからない。宮城の作品は、「中止」になっていないからである。

「中止」になった作品といえば、すぐに思い浮かぶことがある。「故郷は地球」が連載される二年前の一九三二年『婦人公論』六月号に掲載された久志富佐子の「滅びゆく琉球女の手記」である。

跡部が「故郷を離れて」を書いたのは、一九三四年か五年である。「故郷は地球」の連載から間もなくであったことからすると、両者を取り違えるといったことはない。しかし、琉球に対する偏見や差別を助長するものだとして抗議を受け「中止」に追い込まれたということでは、久志の作品がまさにそうであった。

跡部の「故郷は地球」について書いた手記が、久志を想起させた直接的な要因は、しかし宮城聡経由ではなく、跡部が手記をよせた『姫百合のかをり』にあった。同誌に、久志芙紗子も「追憶」と題した一高女時代を回想した掌編を発表していたからである。

紺絣のほのかな匂いから、故郷を思い出し、「一抹の悲哀」を感じさせ、それがまた運動会を連想させ、興奮で泣いていたこと、卒業式にもそうだったのだが、あの時「晴れ着の袖が一生乾かぬくらい泣けばよかったのだと。あの日こそ一生のうちで最も清純な心楽しい一時期へのフィナーレであったのだから」と始まる「追憶」は、そのあと「臭い」「血」「固執」と続くのだが、そのどの一編をとっても、味わい深いものとなっていて、久志の文筆の確かさを示すものとなっていた。筆禍事件で筆を絶ったと思われていた久志が、必ずしもそうでなかったことを証するものがここにひっそりと置かれていたのである。

沖縄の文学者たちについてその列伝なり文学史なりが書かれることがあれば、『姫百合のかをり』に収められた「追憶」の諸掌編は、必ずとりあげられていくに違いない。そして、沖縄の作家たちをとりあげる時、『姫百合のかをり』が、大切な一冊になっていくのは、久志だけに限るものではない。そこには永島栄子の文章も収録されていた。「文学少女といえば名嘉原ツル、譜久里のカミー。富永カオルにもそのけはあった。けれども、文才で名嘉原ツル、のちの文鳥の右に出る人はなかった」。「このころ（一九二一年頃か―引用者注）盛んだった新聞の歌壇に、文鳥という名で明星調の歌を寄せ、文学青年たちのあこがれの君だった。山之口貘青年も文鳥の歌を暗唱し、『ツルーンミー（ツル姉さん）』と慕ってついて歩いたそうである」と金城芳子が『なはをんな一代記』（沖縄タイムス社）で繰返し書いているように、永島栄子（文鳥・名嘉原ツル）は、歌人としてすでにその名を知られていた人であった。

永島（後、比嘉）と傾向はことにするが、口語短歌、新興短歌界で活躍する桃原邑子も「浮ぶ面影」として、友人たちの名をあげ、思慕の情をうたい上げた口語短歌を添えるかたちで寄稿していた。

久志、永島、桃原といったように、個性豊かな表現者たちの名が見られるということでも『姫百合のかをり』は、大切な記念誌となっているのである。

女師一高女、「ひめゆり学園」の出身者が沖縄の教育界を先導していく教師たちを輩出したことはよく知られていることである。そしてそれは、『姫百合のかをり』を読めば、一目瞭然といっていいが、学園は、教育界に貢献しただけではない。その活躍は沖縄のさまざまな分野に及んでいた。文学分野はそのひとつであったにすぎないが、そこだけに限ってみても、「ひめゆり学園」は、きらめき輝く光を放っているのである。

あとがき

寄宿舎の話になると、ひときわ華やいだ。
楽しかった、という。
その笑顔に、まわりがうなずく、
どうしてそんなに楽しかったのだろう。

一九四五年三月二三日夜半、寄宿舎から、南風原陸軍病院へ。
五月下旬、学友を壕に残して南部に。
六月一八日、解散命令。
以後、日にちの記憶が定かではない。
岩とアダン林、
とりまくアメリカ兵、
バラセンの囲い、

肉親との再会。

言葉にする前に、
涙があふれてくることばかり。

聞いていて思う。
寄宿舎の話が、華やぐのは、
寄宿舎を出たあとの日々が、
あまりにもつらかったからではないかと。

寄宿舎についての「ひめゆり学徒」たちの話を聞きながら、彼女たちにも青春の楽しい思い出があったことを嬉しく思った。寄宿舎を取り上げた、大きな理由である。
ひめゆりたちの姿が、少しでも伝わってくれたらと思う。

二〇二一年三月、ひめゆり平和祈念資料館リニューアルを前にして

仲程昌徳

仲程《なかほど》　昌徳《まさのり》

1943年　南洋テニアン島カロリナスに生まれる。
1967年　琉球大学文理学部国語国文学科卒業。
1974年　法政大学大学院人文科学研究科日本文学専攻修士課程修了。
1973年　琉球大学法文学部文学科助手。
1985年　琉球大学教養部教授。
2009年　定年で退職。

【主要著書】
『山之口貘—詩とその軌跡』（法政大学出版局、1975）、『沖縄の戦記』（朝日新聞社、1982）、『沖縄近代詩史研究』（新泉社、1986）、『沖縄文学論の方法 』（新泉社、1987）、『伊波月城』（リブロポート、1988）、『新青年たちの文学』（ニライ社、1994）、『アメリカのある風景』（同、2008）、『小説の中の沖縄』（沖縄タイムス社、2009）、『沖縄文学の諸相』（ボーダーインク・以下同、2010）、『宮城聡』（2014）、『雑誌とその時代』（2015）、『沖縄の投稿者たち』（2016）、『もう一つの沖縄文学』（2017）、『沖縄文学史粗描』『沖縄文学の一〇〇年』（2018）、『ハワイと沖縄』（2019）、『南洋群島の沖縄人たち』（2020）、『沖縄文学の魅力』（2021）。

ひめゆりたちの春秋
—沖縄女師・一高女の「寄宿舎」—

2021年6月23日　初版第一刷発行

著　者　　仲程昌徳
発行者　　池宮紀子
発行所　　（有）ボーダーインク
〒902-0076　沖縄県那覇市与儀226-3
電話 098-835-2777　ファクス 098-835-2840
印　刷　　株式会社　近代美術

ISBN978-4-89982-405-3